A VIDA QUE VALE A PENA SER VIVIDA

Dados Internacionais de Catalogação na Publicação (CIP)
(Câmara Brasileira do Livro, SP, Brasil)

Barros Filho, Clóvis de
    A vida que vale a pena ser vivida / Clóvis de Barros Filho, Arthur Meucci. – 13. ed. – Petrópolis, RJ : Vozes, 2020.

Bibliografia.

4ª reimpressão, 2025.

ISBN 978-85-326-3958-5

    1. Atitude (Psicologia) 2. Conduta de vida 3. Mudança de vida 4. Sucesso I. Meucci, Arthur. II. Título.

10-02100   CDD-181.0956

Índices para catálogo sistemático:
1. Conduta de vida : Filosofia de vida
181.0956

A VIDA QUE VALE A PENA SER VIVIDA

CLÓVIS DE BARROS FILHO
ARTHUR MEUCCI

VOZES
NOBILIS

© 2010, Editora Vozes Ltda.
Rua Frei Luís, 100
25689-900 Petrópolis, RJ
www.vozes.com.br
Brasil

Todos os direitos reservados. Nenhuma parte desta obra poderá ser reproduzida ou transmitida por qualquer forma e/ou quaisquer meios (eletrônico ou mecânico, incluindo fotocópia e gravação) ou arquivada em qualquer sistema ou banco de dados sem permissão escrita da editora.

CONSELHO EDITORIAL

Diretor
Volney J. Berkenbrock

Editores
Aline dos Santos Carneiro
Edrian Josué Pasini
Marilac Loraine Oleniki
Welder Lancieri Marchini

Conselheiros
Elói Dionísio Piva
Francisco Morás
Teobaldo Heidemann
Thiago Alexandre Hayakawa

Secretário executivo
Leonardo A.R.T. dos Santos

PRODUÇÃO EDITORIAL

Anna Catharina Miranda
Eric Parrot
Jailson Scota
Marcelo Telles
Mirela de Oliveira
Natália França
Priscilla A.F. Alves
Rafael de Oliveira
Samuel Rezende
Verônica M. Guedes

Editoração: Dora Beatriz V. Noronha
Diagramação: Sheilandre Desenv. Gráfico
Capa: Felipe Souza | Aspectos

ISBN 978-85-326-3958-5

Este livro foi composto e impresso pela Editora Vozes Ltda.

Sumário

Advertência, 7

Considerações de andamento, 9

1 Vida pensada, 17

2 Vida ajustada, 37

3 Vida prazerosa, 61

4 Vida tranquila, 79

5 Vida sagrada, 97

6 Vida potente, 115

7 Vida útil, 134

8 Vida moralizada, 150

9 Vida socializada, 170

10 Vida intensa, 192

Considerações de prosseguimento, 209

Referências, 211

Advertência

Você ainda está na livraria. Tomou este livro da estante para folhear. Atraído pelo título. A caminho do caixa. Não se precipite. Você supõe que a leitura oferecerá soluções para a sua vida. Que resolverá seus problemas. Ou ao menos justificará sua tristeza. Que os 10 capítulos sejam dicas inéditas e preciosas para se dar bem daqui para a frente. Receitas de gurus consagrados de além-mar. Que você acaba de descobrir um tesouro. Que finalmente o segredo do sucesso será revelado.

Saiba que você está equivocado. Este livro não atende às suas expectativas. Sua leitura não trará soluções. Nele você não encontrará nenhuma dica ou artifício para se dar bem. Por ele, o sucesso continuará dos outros. Fora do seu alcance.

Portanto, feche o livro para não perder mais tempo. Recoloque-o imediatamente na estante. No lugar de onde tirou. Outras obras, ao lado, atenderão melhor este seu anseio.

Deixe este exemplar para outro leitor. Menos esperançoso. Mais desconfiado dos programas de excelência existencial. Que, se funcionassem, já teriam erradicado a tristeza do mundo. Ele talvez intua que o sucesso não tem fórmulas secretas. Que se a liderança passo a passo fosse eficaz, todos já seriam líderes. Ele provavelmente se dá conta de que fórmulas indiscutíveis escravizam. De que a soberania para deliberar sobre a própria vida – com todos os riscos – é nosso único verdadeiro patrimônio. Inalienável.

Para ele escrevemos. Oferecendo reflexão crítica sobre os critérios existenciais mais consagrados. Para que possa resistir, cada vez melhor, contra todo tirano que pretenda empurrar-lhe goela abaixo a vida que vale a pena.

Considerações de andamento

Querido leitor. Proponho uma conversa. Sobre a vida. Sobre a melhor maneira de viver. Mas como infelizmente não estamos juntos, só me resta deduzir suas intervenções. Em parte, são as mesmas de meus alunos. Mas coincidem também com as dúvidas que eu mesmo tive na leitura dos clássicos. Perguntas que teria feito a seus autores, se me concedessem uma aula particular.

Todo discurso tem um ou mais interlocutores. Muitas vezes, são pessoas dispostas a nos ouvir. Mas em outras, esse interlocutor está em nós. E com ele dialogamos. Num auditório íntimo. Nas páginas que seguem, esta pluralidade de vozes fica registrada. Polifonia a serviço de um melhor entendimento. Porque alguns autores, com quem vamos conversar, não são mesmo muito fáceis. Todo esforço didático é bem-vindo.

Aproveito para me apresentar. Você já deve ter deduzido. Sou professor. 100% do tempo. Informação que desperta ternura. Ou pena. Para os que conhecem melhor as condições materiais da docência. Alguns alunos me perguntam se eu também trabalho. Orgulhosamente esclareço que não. Vivo deste *hobby*. De ensinar. E de escrever livros como este.

– Professor do quê? Intervém você pela primeira vez.

De ética. Já sei, anda em falta. O que não é necessariamente ruim. Afinal, se o psiquiatra precisa do louco e o dentista do cariado, o professor de ética precisa de canalhas. Uma eventual extinção destes últimos poderia determinar o fim da disciplina. E do ofício de professor.

Minha formação primeira em graduação foi Direito. Simultaneamente, Comunicação Social, habilitação em Jornalismo. E, só depois, muito depois, quando já era doutor, Filosofia. O resto é bem convencional: mestrados, doutorados, livres-docências e tudo mais que nós professores universitários fazemos para distrair a existência. Hoje, sou filiado à Escola de Comunicações e Artes da Universidade de São Paulo. Conhecida como ECA. É lá que você poderá me encontrar. Se quiser. O primeiro convite é para um café. Nas dependências da Cidade Universitária. Em São Paulo.

Apresento também meu colaborador: Arthur Meucci. Coautor deste livro. Somos amigos. E isso importa para uma vida boa. Bacharel, licenciado e mestre em filosofia. Profissional de análises psíquicas. Psicanalista. Clínico e solicitado conferencista. Fomos colegas no curso de Filosofia. Já nesta condição, três coisas me chamavam atenção: erudição filosófica, capacidade para abstrações e grande talento para os seminários.

Lembro-me de quando apresentamos juntos, pela primeira vez, um seminário. Era uma quarta-feira, dia 12 de setembro de 2001. O dia seguinte. O atentado era o único tema. Mas nós fomos fiéis ao seminário: o capítulo I do livro II da Física aristotélica. A resposta de Tomás de Aquino a Aristóteles – explicada por Arthur – manteve a plateia em êxtase. Afinal, enquanto fora dalí, muitos antecipavam o fim do mundo, naquele auditório a questão tratada era: se uma cama adquirisse a potência de parir, o que ela pariria? Outra cama? Um berço? Uma bicama? Um colchãozinho? Fechei o seminário falando sobre a privação de visão em um olho cego. Inesperadamente fomos aplaudidos de pé. Por essas e outras tornou-se meu professor substituto.

Juntos, diante das páginas brancas do processador de texto projetadas no telão, fomos registrando o que enunciávamos. Primeiro, para nossa própria diversão. Depois, para compartilhar com você. Os exemplos cotidianos são meus. Bem como a narrativa, em primeira pessoa. Meu colaborador segue obediente à ética psicanalítica.

Agradeço a todos aqueles que se dispuseram a ler o texto antes da sua publicação. Gustavo, Felipe, Marcio, Marina, Avelino, Onofre, Ana, Adriana, Karina, Roseani, Heloisa, Ricardo, Sergio, Regina. Esperava somente aplausos. Mas as sugestões foram tão numerosas e pertinentes que não pude levá-las muito em consideração. O livro teria que ser outro. Muito melhor, certamente. Mas o prazo editorial me constrangeu às páginas que seguem.

Antes de ser livro, a vida que vale a pena foi curso. Em dez aulas. Correspondentes aos capítulos que vão ler. De duas horas cada. Por isso, esse jeito meio falado de escrever. Foi também palestra. Assistida por mais de 150 mil pessoas nos últimos 3 anos. Empresas, instituições públicas, faculdades, comitês de ética, ONGs, e tantos outros espaços. A apresentação das ideias centrais de cada capítulo foi se acomodando às necessidades de nossos anfitriões. Nestas páginas, alguns textos clássicos foram selecionados e dispostos em boxes, para que o leitor possa identificá-los mais rapidamente.

Seu conteúdo parte de uma inquietação. A denúncia das soluções facilitadoras da vida. Sua lógica social de enunciação. Seus porta-vozes. Seus interesses. Seus espaços de disputa. Povoados por contendores de formação muito heterogênea. Charlatães de distintas fardas. Uma verdadeira sociologia da felicidade. Que apresenta os movimentos de uma batalha sem fim. Pela definição das condições legítimas da vida boa.

Mas esta sociologia das reflexões sobre a vida é só a origem deste trabalho. Coube-nos, na sequência, a fundamentação teórica desta denúncia. Para isto, recorremos a alguns pensadores consagrados. Que fizeram escola. E que também deixaram traços sobre o senso comum, até hoje. E você, leitor, ajudou-nos muito a entendê-los melhor. Essa investigação foi merecendo um interesse crescente entre os alunos. E ocupando um espaço significativo em meu programa.

Interesse compreensível. Porque nem sempre é fácil escolher a melhor das vidas. Para optar por uma, temos que preterir muitas outras. Todas que passarem pela nossa cabeça. Segundo critérios de cuja eficácia não temos nenhuma certeza. Nem poderíamos ter. Daí a angústia. Uma tristeza muito particular. Por não identificar – dentre as vidas cogitadas – a melhor para viver. Angústia que é marca registrada do homem. Da qual, aparentemente, estão poupados o gato, o pombo e os demais não humanos. Como a pera.

Seria curioso, uma pera angustiada. Na iminência de se despregar da pereira, cogita permanecer no galho. Só por mais um dia. Por conta das chuvas e do solo enlameado. Essa mesma pera, dias depois, decide esticar sua estada e propõe à pereira permanecer no galho até seu apodrecimento. Afirma não ter nada que fazer lá embaixo. Por terra. Não lhe agrada a ideia de ser comida pelo primeiro transeunte faminto. Proposta prontamente aceita. De uma pera que terminou por apodrecer na pereira.

E você, leitor, dá uma risadinha de escárnio.

– Historiazinha estúpida. Coisa de filósofo.

Pode ser. Mas eu tenho um filho. De 22 anos. Cursa o último ano de publicidade e propaganda. Escola reputada em São Paulo. Trabalha com importação de produtos franceses. Marketing de luxo. Já ganha bem. Mais do que eu, sempre distante do *marketing* e afastado de qualquer luxo. Militante da educação.

Muitas vezes me pergunto quando esse meu filho optará por viver só. Fazer carreira solo. Eu, na sua idade, já cuidava da vida longe de casa. Sem a metade das condições materiais que são as dele. No entanto, quando ele conversa comigo sobre seu futuro, deixa claras suas intenções:

– Como sou feliz aqui, morando com você!

Diferentemente do que acontece com uma pera normal, dessas que caem quando têm que cair, meu filho delibera para viver, faz suas escolhas. Instante a instante. Joga no lixo infinitas possibilidades existenciais em nome de uma única vida de carne e osso. Não haverá de ser fácil. E, mesmo que, nesses momentos de balanço existencial, conclua que a vida é feliz, a angústia o acompanha. Por enquanto é pera, pleiteando apodrecer na pereira.

Esse fardo, que é de todos nós, de ter que deliberar sobre a existência – mesmo sem saber muito bem como – faz lembrar uma das primeiras aulas do curso semestral de ética. Os alunos provêm de muitas unidades da universidade. Para alguns, a disciplina é obrigatória e, para outros, optativa. A aluna do terceiro ano de jornalismo ergue o braço.

– Essa coisa de angústia, eu sei bem do que se trata!

Fiquei surpreso com a intervenção. Afinal, aquela jovem, de passado glorioso – o êxito no vestibular atesta – e de futuro auspicioso – a empregabilidade dos egressos em jornalismo não é baixa, apesar da concorrência – poderia ter da vida uma perspectiva mais ingênua. Interessei-me pelo que tinha a dizer. Inquiri sobre as razões da sua convicção. Sobre a certeza da angústia. E ela, sem delongas, foi logo relatando o seguinte episódio:

– Professor eu tenho um namorado. Ele faz Poli (Faculdade de Engenharia da universidade). Mecatrônica, continuou ela. Nós nos damos muito bem. Somos um casal feliz, como se costuma dizer. No ano passado, eu o convidei para vir comigo a um evento esportivo universitário, que ia rolar em Avaré. Argumentei que era semana da pátria. Que não haveria aula. Que iríamos nos divertir. Mas ele, irredutível, insistia em ficar estudando.

– Tenho que terminar esse robozinho até o final da próxima semana, disse ele com sincera preocupação.

Pois bem. Fui sozinha. E lá chegando, percebi que o esporte ali era atividade secundária. Que a maioria só estava a fim de sacanagem. Que o sexo rolava solto. Foi quando um rapaz, apetecível, de capital estético indiscutível, musculatura saliente – muito diferente do meu mirrado mecatrônico – propôs uma cópula furtiva. Uma bimbada mágica. Garantiu que desapareceria imediatamente após o coito. Sem deixar sequelas sentimentais. Nem rescaldos afetivos. Higienicamente.

Professor, quando ele me propôs aquilo, não pude me impedir de lembrar do senhor. (Pensei que ela fosse falar do mecatrônico.)

– Não entendi onde é que eu entro nesta história. Indaguei com firmeza, para dirimir suspeitas.

Quando o senhor diz que o mundo não sai da frente, que a vida não está pronta, que da vida não tiramos férias, que não há gabarito para a vida, que – independentemente da escolha – sempre pairará a suspeita do erro, o arrependimento. De quem mais eu iria me lembrar?

Afinal, dar ou não dar? Eis o dilema que se apresentava. Sinuca de bico. O que me ocorreu primeiro foi dar. Mas logo vi que ia me arrepender. Afinal, não se acha alguém como o mecatrônico, por aí, a toda hora. Apresentou, então, uma longa lista de virtudes. Impressionou a ênfase ao atributo "fiel".

Então, restou-me não dar. Mas, aí, talvez me arrependesse também. Afinal, ao longo da vida, vamos todos aprendendo a deduzir, com maior ou menor precisão, o quanto valemos no mercado dos atributos estéticos. E não seria de se estranhar se passasse o resto da minha vida sem receber proposta tão interessante.

E você, leitor, pede o fim do relato. Lamento. A moça pôs um ponto final e não revelou a sua deliberação. Talvez para evitar a exposição das personagens da trama, ausentes naquele momento. Talvez porque o final do relato não tivesse mesmo a menor importância. Afinal, fosse qual fosse sua deliberação, a vida teria sido triste.

Mas tudo que disse a aluna é lapidar para entendermos a tal da angústia. Não há mesmo como saber, qual a melhor solução. Dependendo do critério – ou valor – que a moça adotasse, a melhor conduta seria uma ou outra. Assim, poderia decidir em função do máximo de prazer imediato. Opção legítima. Porque a dor, seu contrário, é sempre menos interessante. Seguindo este critério, a jovem teria que deliberar pela cópula.

Mas o critério poderia ser outro. Como o respeito por compromissos assumidos em nossas múltiplas relações, em especial com pessoas que amamos e com as quais pretendemos interagir por muito tempo. Neste caso, a vida teria que ser outra. A castidade. Legítima só porque prometida. Em manifestação livre. Geradora de expectativas e de engajamentos alheios.

E mesmo que nossa querida aluna tivesse chegado a uma solução feliz, que lhe parecesse indiscutivelmente boa para aquele episódio, a mesma angústia de dano iminente continuará presente, ao longo das situações vindouras que lhe couber enfrentar.

Percebendo a pluralidade de critérios e a incerteza para deliberar sobre a vida, a aluna fez um pedido:

– Professor, o senhor poderia oferecer um curso – só para os interessados – sobre os critérios da vida boa. Seus fundamentos e suas fragilidades. É possível? Poderíamos nos reunir fora do horário de aula. O que o senhor acha?

Como negar reflexão a um aluno que quer aprender? Aceitei alertando para minhas limitações. Preparadas as aulas, o livro é sua adaptação escrita. Destinado a todo mundo. Todo mundo que vive. E já se deu conta de que não é muito fácil viver bem. Adequado aos não iniciados neste tipo de reflexão. O livro pega você pela mão e pretende não largar. Adequado também aos iniciados. Que já conhecem suas ideias centrais. Pela singularidade da apresentação. Preocupado em aproximar as abstrações do cotidiano através de exemplos. Pelo jeito de escrever.

Por tudo isso, espero, leitores, que leiam até o final. Não pelo repertório, pela utilidade ou pela pertinência. Sempre discutíveis. Mas por estarem se divertindo com a leitura. Pela alegria de cada leitor. Indiscutível.

Ah! Já ia me esquecendo. O leitor deve estar intrigado com o título destas páginas: considerações de andamento. Optei por esta nomenclatura por considerar que o termo introdução induz ao erro. Faz pensar em gênese, origem, início. E este livro não tem nada disso. Já está em curso. Como tudo no mundo da vida. Os discursos nele enunciados já estavam, de certa forma, em circulação nesta rede social em que nos encontramos, você e eu. Com outra roupagem, talvez. Mas isso não justifica nenhuma introdução. Porque tudo isso que você vai ler já foi introduzido há muito, muito tempo.

1
Vida pensada

Pensar para viver. Recomendação de boa parte dos filósofos. E também o que já fazemos. De manhã à noite. Muita coisa do que se passa conosco vai dependendo de ininterruptas decisões. Como, por exemplo, a hora que ajustamos no despertador para que nos acorde. Poderia ser mais tarde, porque é fim de semana. Ou não: você decidiu aproveitar para dar uma corridinha. Bem cedo, para fugir do sol. Até aqui, nada de muito novo na recomendação filosófica. Afinal, você sempre pensou para viver.

Claro que, por outro lado, muito da vida é impensado. Ações e reações que dispensam qualquer atividade intelectiva. A escovação dos dentes pode ser feita com o pensamento em qualquer outra coisa. Você não precisa ficar contando os movimentos em cada zona da boca. Vai no piloto automático. Da mesma forma, entrando no carro, sabendo dirigir um pouquinho, engata a primeira sem precisar de uma reunião deliberativa.

Mas voltemos à vida pensada. Investimos muita energia de pensamento para definir nossa existência no mundo. Identificar a vida de carne e osso que viveremos em detrimento de tantas outras, apenas cogitadas e preteridas. Possibilidades colocadas de lado. Jogadas no lixo. Fechar ou não um contrato, trocar ou não de parceiro, comprar ou não uma nova máquina de lavar roupa. O leitor poderia perguntar, então:

– Deve ter alguma coisa errada nesta recomendação filosófica. Afinal, se eu já penso para viver – quase o tempo todo – e a vida que levo nem sempre é boa, qual o problema com as minhas deliberações?

Meu amigo, atenção ao que vou explicar. Quando alguns pensadores gregos – como Sócrates e Platão – relacionaram o pensar com a vida boa, não estavam se referindo ao que você faz diariamente quando escolhe a roupa que veste, o filme a que vai assistir, ou mesmo a carreira universitária que decidiu cursar. Todas essas questões têm a ver apenas com a particularidade da vida de cada um. Você define a roupa a partir das possibilidades que seu guarda-roupa oferece, das exigências sociais do evento; o filme, em função da opinião de algum crítico ou amigo, ou da distância do cinema; enquanto que a faculdade dependerá da sua disposição para se preparar para o vestibular, do preço do curso, das possibilidades de trabalho etc. Todas essas escolhas você sempre fez. E continuará fazendo. E não precisa de nenhum filósofo para isso. Portanto, não é bem disso que Sócrates e Platão estão falando, quando condicionam a vida boa ao bom pensamento.

– Mas se esse tal pensamento filosófico que leva à vida boa não tem diretamente a ver com o nosso cotidiano, refere-se a que, então? Afinal, o que chamamos de vida? Não será a sucessão de situações particulares que nos toca enfrentar?

Inquietação mais que legítima a sua. Afinal, o que você espera desse investimento – na leitura de um livro sobre a vida – é não se equivocar mais a respeito das suas escolhas, particulares e singulares, definidoras da sua própria existência. Resumindo: o que você quer mesmo é resolver o seu problema. O problema da sua vida. E tudo isso para não se entristecer. Porque você odeia a tristeza.

E você tem toda a razão. O que realmente importa é mesmo a sua vida. Essa que você vem vivendo desde que nasceu. Mas talvez seja o momento de perceber, com mais clareza, que o que você procura não está tão ao alcance quanto sugerem as leituras fáceis de aeroporto. Que as soluções já prontas e tão promissoras não sejam confiáveis. Pelo menos já ficou claro, na leitura destes primeiros parágrafos, que não é todo pensamento que vai assegurar uma vida feliz. É preciso mais.

— Mas, afinal, qual a especificidade desta atividade do intelecto tão auspiciosa? O que diferencia a reflexão filosófica que leva a uma vida boa dessa nossa de todo o dia?

Pensamento e amizade

Proponho investigarmos as características deste pensamento tão especial a partir de um exemplo. Você tem um amigo. De longa data. Daqueles que, na escola, ano após ano, caía na sua classe. Que sempre te escolhia para jogar no seu time. Com quem você se divertia nos finais de semana. E estudava junto para as provas. Amigo de fazer xixi cruzado, expressão da terra da gente. Pois bem: esse amigo, já não é de hoje, vem te decepcionando.

Também tive alguns assim. Um deles não ficou do meu lado quando, num intervalo curto entre duas aulas, dei sumiço na carga da caneta do professor de geografia, aproveitando-me de um descuido seu. O intuito não era subtrair. O *animus* não era *furtandi*. Mas *zoandi*. Mestre Fauze, inesquecível, ostentava uma Cross de tinta verde escrita fina, segundo ele próprio, difícil de encontrar. Indignado com o desaparecimento, inquiriu a turma, ameaçando um zero coletivo. Fui denunciado. Inclusive por esse amigo. A decepção foi dolorosa. Que calhorda!

Pois bem, você também está chateado com alguém que sempre esteve por perto. E se pergunta: devo ou não dar um basta nesta amizade? Reconheça que esse problema é concreto. Da sua vida vivida. Não uma discussão meramente conceitual.

O dilema é real. Porque quando você imagina a ausência vindoura do amigo se entristece. Quando se lembra de seus últimos comportamentos, se entristece também. Percebe que na oscilação afetiva, ora você se convence de que tem que mudar de amizade, ora de que tem que dar uma chance. Afinal há crédito.

Sem perceber, você está à mercê desses afetos. Precisa identificar a solução que entristece menos. E isto te faz flutuar. Um astrólogo horoscopista certamente encontraria uma interpretação sob medida dos astros explicativa de tanta indecisão. Se não um signo, pelo menos uma ascendência.

Talvez pudéssemos imaginar o que nos perguntaria Sócrates diante deste caso. Importa lembrar aqui que, quase tudo que sabemos sobre ele, devemos a diálogos escritos por Platão. Neste caso, inspiramo-nos em Lísias, diálogo platônico consagrado à amizade.

Indagaria Sócrates:

— Mas este que você considera seu amigo, será mesmo seu amigo? E você, num primeiro impulso, responde:

— Mas é claro que sim. Se ele não for, quem será? Amigo de infância. Sempre estivemos na mesma classe. Passávamos cola um para o outro. Éramos unha e carne. Muitos nos tomavam por irmãos. E depois tem mais: fui eu que apresentei pra ele a Cris. Uma gata exuberante com quem também tive minhas primeiras experiências. Amigasso. Do peito.

Neste momento, Sócrates conclui:

— Se você tem tanta certeza sobre este seu amigo, certamente sabe o que é a amizade.

E de novo, no impulso, você garante que sim. Mas ao relembrar os fatos que listou para comprovar aquela amizade particular, você rapidamente se dá conta de que os atributos que correspondem a eles são frágeis para definir qualquer amizade, amizade em geral, amizade em si, para além dos amigos de circunstância. Afinal, você pode estudar muitos anos seguidos na mesma classe com colegas que não são necessariamente seus amigos. Muitos deles até, você considerava inimigos. Quanto a passar cola, poderíamos duvidar que o estímulo à ignorância e à fraude possa ser traço distintivo e garantidor de qualquer amizade. Parecer irmão..., a literatura está repleta de exemplos de fratricidas. Porque irmãos não são necessariamente amigos. Finalmente, no que diz respeito à Cris, bem, a Cris era mesmo demais. Era preciso ser muito amigo para apresentá-la.

Não levou muito para você mesmo se dar conta de que não sabe exatamente o que é a amizade. E admitir que sem saber o que é a amizade não pode ter certeza a respeito do estatuto de amigo deste ou daquele em particular. Admitir também que, sem saber se é mesmo seu amigo, fica mais difícil decidir sobre a continuidade ou não de uma amizade que, agora, você não tem nenhuma certeza de ter existido.

Meu Deus! Como vou saber se tenho amigos, se não tenho a menor ideia do que possa ser a amizade?

O leitor entendeu tudo. Para entreter boas relações com amigos é indispensável poder identificá-los. Para tanto, urge saber o que é a amizade. Amizade em si. Ideia de amizade. Encontrável apenas pelo uso da razão e jamais pelos sentidos do corpo. Ideia que contamina e está presente em qualquer relação verdadeira e particular entre amigos. Não é, portanto, possível ter amigos sem saber o que a amizade significa. Essa dependência da vida boa face às ideias recebeu a denominação de intelectualismo socrático. Convicção de que o conhecimento de verdades como a ideia de amizade garante amizades felizes na particularidade de quem as vive.

> Sócrates – Seu pai e sua mãe, por quererem sua felicidade, são seus amigos?
>
> Lísias – Por Zeus, claro que sim.
>
> S. – Acaso te parece feliz o homem que está na servidão, e ao qual nada é permitido fazer, de entre as coisas que deseja?
>
> L. – De modo algum, por Zeus, não me parece! – exclamou.
>
> S. – Portanto, se teu pai te ama, e tua mãe também, e desejam tornar-te feliz, é evidente, em todos os sentidos, o seguinte: que empregam todas as forças para que sejas feliz.
>
> L. – Pois é claro.
>
> S. – Por conseguinte, deixam-te fazer o que quiseres, nada te proíbem, nada te impedem de fazer, se for do teu desejo.
>
> L. – Por Zeus, bem pelo contrário. Há muitas coisas que terminantemente me proíbem.
>
> S. – Que estás dizendo?! – exclamei. – Querendo a tua felicidade, impedem-te de fazer o que quiseres? Como é isso possível? Ora, diz-me! Se, na verdade, desejares, em ocasião de luta, subir para algum carro de combate de teu pai e tomar as rédeas, eles não te consentirão, antes te impedirão?
>
> L. – Por Zeus, de modo algum me consentirão (PLATÃO. *Lísias*).

Começa a ficar clara a diferença entre o que Sócrates e Platão entendiam pelo pensamento para a vida boa e o que você faz todo dia nas suas escolhas particulares. É preciso, justamente, não se limitar ao particular. Ir além da relação concreta com seu amigo e chegar à ideia de amizade que vale para qualquer caso concreto.

Você, então, que investiu algum dinheiro na compra deste livro, e que tem a legítima pretensão de viver amizades felizes, tem todo o direito de perguntar: para esse tal de Sócrates, o que é, afinal de contas, a amizade?

Aqui reside toda a sutileza do pensamento socrático e, talvez, toda a frustração do ávido leitor. O que o filósofo nos assegura é que a ideia de amizade nos leva a uma vida boa, entre amigos. Que é fundamental conhecê-la. Mas, no diálogo que Platão consagra à amizade, depois de denunciar a fragilidade das definições de seus interlocutores, Sócrates não propõe com clareza uma sua. Pode xingar, leitor. Fique à vontade.

Limita-se a garantir que a sabedoria é condição da amizade. Deixando claro, que o trabalho intelectual que nos conduz a essas noções absolutas não tem conclusão no mundo de carne e osso. Por isso deve constituir um projeto que transcende a ele próprio. A sua própria vida.

Sócrates não é do tipo que dá lições acabadas sobre como você deve viver. Não espere dele nenhum código pronto de conduta ou cartilha de procedimentos existenciais. Pelo contrário. Não se cansa de repetir que a única coisa que realmente sabe, é que nada sabe. E isso, já fazia dele o mais sábio dos gregos. Que nem disso sabiam. Porque supunham conhecer muitas coisas que na verdade ignoravam.

> Sócrates – Mas se te tornares sábio, meu filho, todos serão teus amigos e teus parentes: serás útil e bom. Se não, nem os estranhos, nem teu pai, nem tua mãe, nem os teus familiares serão teus amigos. Como é possível ter pensamentos de arrogância sobre assuntos em que nem sequer se sabe pensar ainda? (PLATÃO. *Lísias*).

Em outras palavras, o filósofo pode te ajudar fazendo perguntas que motivem a reflexão. Mas não conte com ele para dar a resposta certa no final. Ou propor os hábitos do homem eficaz, os atributos do líder bem-sucedido ou as práticas do deslumbrado. Nada mais estranho, portanto, para esta corrente intelectualista do que um programa existencial pré-definido. Afinal, precisamos demais de noções absolutas que no mundo de carne e osso não estamos em condições de alcançar.

Pensamento, beleza e justiça

O exemplo da amizade poderá não ter bastado. O leitor clama por outro.

Não faz muito tempo mudei de residência. Sempre no mesmo bairro de Higienópolis em São Paulo. O novo apartamento é velho. E não se encontrava em boas condições. Decidimos, minha esposa e eu, pintá-lo. Para tanto, fomos a uma loja de tintas. Uma senhora nos recebeu. Mulher corpulenta. Trajava um vestido preto e brincos gigantes. Fazia lembrar uma cantora lírica. Ofereceu-nos um café e um catálogo de cores. Escolhemos a cor básica para a maior parte das paredes. Faltava decidir alguma outra que contrastasse. Indiquei uma cor esverdeada, que me chamou a atenção entre centenas de possibilidades. A vendedora, demonstrando impaciência, corrigiu:

– Esta cor não é elegante. E não combina com a outra que o senhor escolheu.

Vencido meu primeiro desconforto, cabia-lhe esclarecer: o que quer dizer uma cor elegante? O que significa combinar? Há cores elegantes em si, por elas mesmas? Elegância que, neste caso, independeria de qualquer outra variável? Ou tem a elegância a ver com o bem-estar de quem contempla? Neste caso, o que é elegante para uns – como a vendedora – não será necessariamente para outros – como o estúpido comprador.

Ou ainda, resulta a elegância de um entendimento, de uma concordância entre duas ou mais pessoas? Entre os membros de um grupo? E, no caso de ser apenas essa concordância, pressuporá a livre manifestação das partes? Ou resultará da imposição dos fortes, dos dominantes, de seus grupos ou classes, definidores – a seu proveito – do elegante e do brega no mundo?

Ora, esse problema vivido com a autoritária vendedora de tinta também poderia ser levado para Sócrates. E ele talvez lhe perguntasse sobre sua certeza a respeito do valor da elegância ou beleza das cores. A mulher, suponho, mostraria-se convicta. Mas, perguntada sobre a validade daquele juízo – deselegância do verde – em outras situações, como para uma roupa íntima, talvez hesitasse, por falta de fundamentos.

A reflexão que fizemos no caso do amigo e da ideia de amizade pode ser repetida aqui. Como saber se qualquer coisa no mundo é bela sem conhecer, com clareza, o que é a beleza? E só pode haver certeza sobre a beleza de cada coisa em particular se houver certeza sobre os atributos absolutos do belo. Atributos que independeriam de quem contempla. Dos humores sempre fugazes de seu corpo. Da sua história e da sua geografia. Da sociedade e da política. Da opinião pré-dominante. Ou da dos dominantes.

Isto vale para a elegância da cor da tinta como para qualquer outra coisa ou corpo no mundo. Mulheres lindas parecem despertar uma unanimidade de juízos sobre o belo. Mas esta afirmação desperta uma dúvida. São lindas e, por isso, todos as consideram assim? Ou a relativa coincidência de juízos advém de uma educação semelhante, compartilhada num mesmo processo de socialização? O impasse é o mesmo quando nos manifestamos sobre obras de arte. Monalisa, Dom Casmurro ou a música de Tom Jobim são belos neles mesmos ou só na medida em que alegram, que encantam?

Na perspectiva do intelectualismo socrático, abordado neste primeiro capítulo, tudo que é verdadeiramente belo, é belo em si. E para que isso seja assim, carecemos de um fundamento, de um gabarito de beleza, que esteja acima das inclinações particulares, das modas do momento, do interesse deste ou daquele que se manifesta sobre a beleza das coisas. Uma harmonia geométrica das partes. Porque no caso de não haver um gabarito deste tipo, sempre haverá a suspeita de que esta ou aquela definição do belo esteja a serviço dos interesses daqueles que as defendem. Por isso, mulheres siliconadas, em exposição televisiva, fazem a alegria dos cirurgiões plásticos.

E mesmo que você argumente que os corpos femininos considerados belos em épocas de pintura renascentista, de apreço pelo roliço, diferiam dos juízos contemporâneos, Sócrates justificaria essa divergência pela ignorância. Tanto atual quanto de outras épocas. Ignorância sobre o belo. Da ideia de belo. Do belo absoluto. Que é belo em qualquer época ou lugar. Beleza atemporal.

E assim, quando não se sabe o que é o belo, em abstrato, também não se pode saber onde ele se manifesta em concreto. Nas coisas do mundo. Por isso, toda vez que nossas opções de vida dependerem desse critério, estaremos à mercê de crenças e opiniões que aprendemos na contingência da nossa trajetória. Achamos que é belo o que aprendemos como tal. Ou, o que nos impuseram como tal. Com grande chance de erro. E consequente tristeza.

> — E certamente o dizes, amigo, declarou Sócrates; e é assim não é certo que o amor seria da beleza, mas não da feiura? – Agatão concordou – Não está admitido que aquilo de que é carente e que não tem é o que ele ama? (Afinal, desejamos o que não temos).
>
> Agatão – Sim.
>
> S. – Carece então de beleza o Amor, e que não a tem?
>
> A. – É forçoso.
>
> S. – E então, O que carece de beleza e de modo algum a possui, porventura dizes tu que é belo?
>
> A. – Não, sem dúvida.
>
> S. – Ainda admites, por conseguinte que o amor é belo, se isso é assim?
>
> A. – É bem provável, ó Sócrates, que nada sei do que então disse?
>
> S. – Bem que foi belo o que disseste. Mas diz-me ainda uma pequena coisa: o que é bom não te parece também que é belo?
>
> A. – Parece-me.
>
> S. – Se portanto o amor é carente do que é belo, e o que é bom é belo, também do que é bom seria ele também carente (PLATÃO. *O banquete*).

E você leitor começa a se inquietar. Sem poder ter amigos – por não ter alcançado a ideia de amizade – e sem poder distinguir as coisas bonitas do mundo – por não saber muito bem o que é a beleza –, a pergunta inevitável é:

– Mas essa condição de saber as ideias absolutas – para poder discernir sobre o particular das nossas escolhas – se impõe para todas as outras situações da nossa vida?

Ora, por que não se imporia? Assim, quando você diz a um amigo:

– Você precisa deixar de ser tão vaidoso!

Parece fundamental – para que essa advertência particular possa fazer algum sentido – que você saiba com clareza o que é a vaidade, a vaidade de qualquer um, a vaidade em si ou a ideia de vaidade.

Da mesma forma, quando você esbraveja:

– Tanto esforço investido na sua educação para que, no final, você se torne o safado que é.

Para que o advertido possa saber do que você está falando, é imprescindível que você compartilhe com ele a ideia de safadeza, de honestidade, de virtude, de ética e tantas outras ideias correlatas. Caso contrário, seria o mesmo que você, no lugar de safado, pronunciasse um vocábulo em chinês, idioma não compreendido por ambos. Ainda bem, caro leitor, que nossos filhos não são discípulos de Sócrates. Já imaginou, a cada bronca, uma pergunta sobre a ideia absoluta da imputação particular que fazemos?

Quer mais um exemplo, tão ou mais decisivo que os anteriores?

De dois em dois anos elegemos autoridades de Estado. Vários candidatos se apresentam para sua eleição. E você precisa de um critério para identificar aquele que será merecedor do seu voto. Uma maneira de achar o bom candidato. Um deles é conhecido de um amigo seu. Outro teve uma *performance* pitoresca na campanha eleitoral televisiva. E um terceiro vai receber muitos votos. É o favorito.

Esses critérios podem ser facilmente criticados. Você decide ignorá-los. Escolherá seu candidato pelo que ele afirma defender se eleito. Porque, neste caso, proporá regras para regular a vida do coletivo ao qual você pertence. Segundo uma representação de sociedade justa. Ora, este candidato, para transformar a sociedade no sentido da justiça, deve ter na cabeça, com clareza, o que é a justiça. Afinal, como identificar uma sociedade justa sem saber o que é a justiça?

E o que vale para o seu candidato, vale para você leitor, enquanto cidadão. Como agir justamente na sociedade? Da mesma forma, e com maior gravidade, como poderá o magistrado, ao prolatar uma sentença, dizer o direito, identificar a pretensão justa, fazer justiça, como se diz, sem saber no que ela consiste?

Por conta da importância desta noção, Platão consagra ao tema um de seus mais importantes diálogos: a República, ou da Justiça. Quem deve governar? Será o mais forte, ou o mais sábio?

> Sócrates – Por conseguinte, se alguém declara que a justiça significa restituir a cada um o que lhe é devido, e se por isso entende que o homem justo deve prejudicar os inimigos e ajudar os amigos, não é sábio quem expõe tais ideias. Pois a verdade é bem outra: que não é lícito fazer o mal a ninguém e em nenhuma ocasião.
>
> Polemarco – Estou de pleno acordo.
>
> Sócrates – Porém, visto que nem a justiça nem o justo nos pareceram significar isso, como poderemos defini-los? (PLATÃO. A república).

– Já chega! Desabafa o leitor. Estou plenamente convencido de que essas noções absolutas são fundamentais para minha vida particular. Como fazer, então, para alcançá-las? Qual o método? Que etapas devo percorrer para descobrir a verdade das coisas?

Pensamento e busca das verdades

Na singularidade das coisas do mundo, há pontos de tangência. Assim, muito embora já saibamos que não há duas amizades iguais, nem duas coisas belas idênticas, sabemos também que amizades e coisas belas, se forem verdadeiras, devem ter algo em comum. Aquilo sem o que a amizade não seria amizade. E a beleza não seria beleza. É o que chamamos de essência. Essência da amizade. Essência de beleza. Quando presentes, fazem qualquer coisa ser o que é e, quando ausentes, impedem que sejam.

Em outras palavras: em tudo que existe no mundo há alguma coisa que é a sua essência, seu atributo principal ou sua razão de ser. Desta forma, conhecer, seja lá o que for, implica conhecer esse seu atributo principal, isto é, aquilo sem o que toda e qualquer coisa não seria o que é. Assim, identificar a essência pressupõe identificar aquilo que faz ser.

Diante disso, poderia o leitor sugerir o seguinte percurso:

– Já sei. Comecemos por observar relações particulares de amizade, na sua estrita singularidade. Ou contemplar coisas belas no mundo em que vivemos. Também umas diferentes das outras. Na sequência, identifiquemos o que há de comum entre as amizades observadas, todas elas, ou o que há de comum entre todas as coisas belas. *Et, voilà!* Eis as essências da amizade e da beleza.

Bem pensado. A tentativa foi válida. Mas esbarra numa dificuldade. Como ter certeza, lá no começo do procedimento, na hora de observar as coisas particulares do mundo, de que as relações que flagramos são verdadeiramente de amizade e as coisas particulares verdadeiramente belas sem antes conhecer a essência da amizade e da beleza?

– Com mil milhões de demônios, diria o capitão Hadock (das *Aventuras de Tintin*). E agora?

Agora não tem jeito. É preciso chegar à essência antes de flagrá-la na particularidade das coisas do mundo. Só assim teremos certeza de que essas coisas são verdadeira e essencialmente exemplares do que supomos ser. Só então poderemos passear pelo mundo, você e eu, constatando – a partir das essências – as particularidades em que se manifestam. Que lindo passeio...

Partiremos, então, da essência daquilo que queremos conhecer. E depois, vamos entender como essa essência se explicita, se manifesta, nas existências particulares.

– Mas como? Irrita-se o leitor.

Aqui, é preciso acrescentar um esclarecimento. Mais uma chave para a invasão definitiva do castelo socrático. As verdades que você busca, as tais essências, tão importantes para a sua vida, não estão perambulando pelo mundo. Mas já se encontram em você. Na lembrança de sua alma. Desde sempre.

– Ah, era só o que me faltava. Agora, você me diz que eu já sei tudo isso. Que nasci com uma alma que sempre soube de tudo? Mas como podem estar em mim e não estarem à minha disposição?

Ora, caro leitor. A sua indignação é esperada e legítima. Seria muito menos angustiante se lhe prometessem uma solução para a vida boa no topo do Everest. Porque lá, você sabe que não vai conseguir chegar. Mas na hora que alguém diz que todas as verdades fundamentais para a vida boa já estão em você, na sua alma, desde sempre, aí é de matar. Tão perto e, ao mesmo tempo, tão inacessível.

Calma. Nem tudo está perdido. Preste atenção! Neste exato momento em que você lê este livro, algumas coisas passam pela sua cabeça. Espero que sejam relacionadas à leitura. Mas outras poderiam estar no seu lugar. Coisas que você também sabe. Mas que, neste preciso momento, não estão inscritas no seu pensamento. Por exemplo, o melhor caminho para o trabalho. Mas não fica pensando sobre isso o tempo todo. Portanto, há coisas que você sabe, mas que, num dado momento, não passam pela sua cabeça. Ora, o mesmo acontece com as tais verdades absolutas: estão em você, mas neste momento você não as acessa.

– Entendi. Mas a comparação vale até certo ponto. Afinal, o caminho do trabalho, é só eu precisar dele e ele me vem à mente. Em contrapartida, a essência da amizade, da beleza e da justiça, por mais que me esforce, não consigo discerni-la.

Bravo. Mas imagine algum outro lugar a que você não vá com tanta frequência quanto o trabalho. Fica mais difícil lembrar o caminho. Outras coisas ainda, você sabe que já soube, mas vai logo dizendo: disso eu não vou lembrar. Faz tanto tempo. A diferença entre essas remotas lembranças e a busca das ideias absolutas vai diminuindo.

Assim, o projeto socrático é essa aventura mental de caça a um tesouro, cuja existência ele garante. Constituído da única riqueza. As ideias verdadeiras. Que já estão em você. E com as quais você tem grande familiaridade.

– Que seja maravilhoso lançar-me nesta busca, é possível. Que as verdades já estejam em mim, também pode ser. Mas que tudo isso me seja familiar. Aí já é forçar um pouco a barra.

Querido leitor. É o que eu acho também. Mas importa aqui o que ensina Sócrates. Para ele, o que pensa no homem é sua alma. Cada um de nós tem uma. E sua parte superior é consagrada ao pensamento.

Essa alma – aprisionada pelo corpo no nascimento e liberta na morte – sempre se deu muito bem com tudo que lhe é semelhante, absoluto e eterno. Como as tais verdades que estamos empenhados em encontrar. Desta forma, as chaves já estão em você, caro leitor.

Em princípio tão apetrechado quanto eu para ir atrás dos cobiçados critérios. Valores indiscutíveis, garantidores de uma vida menos ruim.

– Mas o que estamos esperando? Só nos resta cair de cabeça. Mergulhar nos pensamentos até encontrar tudo que nos é tão indispensável.

Pensamento e corpo desejante

Alegro-me com seu entusiasmo. Esse também já foi o meu. Permito-me aqui um alerta. Porque confiar na dupla Sócrates x Platão implica abrir mão de muita coisa legal. Abdicar de outros estilos de vida. Como, por exemplo, a busca da satisfação dos apetites.

Neste capítulo, o corpo e suas inclinações são objeto de grande desconfiança. A satisfação dos seus caprichos é entendida como uma escravidão. O homem virtuoso é aquele que consegue ser senhor da sua própria vida. Isso supõe respeitar a hierarquia entre a alma pensante e superior e o corpo desejante e inferior.

Esse controle do corpo pela alma implica compreender o dualismo platônico. A dualidade entre a alma imaterial e atemporal e o corpo, material, sensível, temporal e finito. Na perspectiva de Platão, o corpo não é a alma. Esta guarda em relação àquele uma soberania possível. Isto é, existe a possibilidade virtuosa de o corpo apontar para uma vida e a alma deliberar por outra.

Pensamento e amor

Por isso, a vida boa, deliberada a partir das tais verdades absolutas, nada tem a ver com o amor. É isso mesmo que você leu. Uma coisa é viver bem. A outra é amar. Os gregos nunca usaram a palavra amor. Porque não falavam português. Resultado de longa investigação dos especialistas. Para Platão, amor é *Eros*, termo grego. Um diálogo inteiro lhe é consagrado. *O banquete*. O mais lido dos diálogos de Platão. O mais lindo também. Na minha leitura. Uma sucessão de sete discursos sobre *Eros*. Proferidos por personalidades conhecidas na sociedade ateniense. Num jantar oferecido por Agatão. Vencedor de um concurso de teatro.

Interessa-nos aqui apenas a tese que Platão considera correta. A apresentada e defendida por Sócrates. *Eros*, ou o amor, é definido por meio de uma equação de compreensão simples. Amar é desejar. E desejo é sempre pelo que falta, isto é, pelo que não temos, pelo que não somos, ou pelo que não conseguimos realizar.

Desta forma, o autor arma sua sinuca. Quando desejamos e amamos, não temos o objeto do nosso amor. Mas, se por ventura, o que desejamos e amamos deixar de faltar, isto é, converter-se em presença, esta fará desaparecer o desejo e o amor que lhe correspondia. Bela tacada!

> Sócrates – Não é isso então amar o que ainda não está à mão nem consigo, o que não tem, o querer que, para o futuro, seja isso o que se tem conservado consigo presente?
>
> Agatão – Perfeitamente.
>
> S. – Esse então, como qualquer outro que deseja, deseja o que não está à mão nem consigo, o que não tem, o que não é ele próprio e o de que é carente; tais são mais ou menos as coisas de que há desejo e amor, não é?
>
> A. – Perfeitamente (SÓCRATES. *O banquete*).

Portanto, aquele que pauta a própria vida pelos amores acaba flutuando entre uma falta desejada e uma presença indesejada. Por ignorar a impossibilidade de um *Eros* feliz. Muitos exemplos podem facilitar a compreensão.

Minha filha de 7 anos queria um DS de Natal. Jogo eletrônico. Pediu com tanto fervor que acabou ganhando. A falta se fez presença. E o desamor desencadeado pela falta de falta condenou o brinquedo a um baú. Onde costumam jazer os desejos infantis assassinados pela presença, mortos pelo consumo. No lugar dele, um novo desejo. E um novo amor. Pelo que ainda falta. O DSI. Muito parecido com o DS. Mas ainda desejável e, portanto, amável. Amor a conservar. Garantido pela indigência dos vencimentos professorais.

Um segundo exemplo: uma aluna, aproveitando-se da formação em ética, arma cilada a um pretendente. Logo na primeira saída, procurando evitar a aproximação física por ele desejada, propõe, dentro do carro e na porta de sua casa, a erotização da relação. O rapaz entusiasmado afirma ser tudo o que queria. A moça, então, despede-se com um frio passar bem. Desce do carro e se afasta. Seu pretendente, sem entender nada, assiste atônito ao distanciamento da jovem. Falta-lhe repertório. Sobram-lhe hormônios.

Afinal, o comportamento da moça foi coerente com sua proposta. Erotizar a relação pressupõe fomentar nela o desejo. Torná-la amável. E, para isso, nada melhor do que o afastamento, o abandono. Garantidores da falta. Golpe mortal da sedução. Esse desejo na distância, as revistas semanais de variedades denominam amor platônico. Melhor seria, amor em Platão. Ou *Eros*, simplesmente.

Essa definição do amor como *Eros* é mesmo de amargar. E, ao longo dos séculos, nunca deixou de ser referência para a história do pensamento sobre o tema. Schopenhauer, importante filósofo alemão do século XVIII, vai resumir a existência humana servindo-se da alegoria de um pêndulo que oscilaria da esquerda para a direita – como muitos dos partidos políticos – entre o enfado e a frustração.

Não se poderia ter da vida do homem uma concepção mais triste. Afinal, como em qualquer pêndulo, dois são os polos a considerar: ou desejamos e, por definição, não dispomos do objeto desejado – frustração –, ou dispomos daquilo que não desejamos mais – enfado.

No meu caso, foram muitos anos de carreira desejando ser professor da universidade. O pêndulo, nesse período, encontrava-se no polo da frustração. Um desejo frustrado pela distância. Pela impossibilidade. Até que uma porta se abriu. O ingresso pela via de um concurso. E a docência universitária se fez realidade. Presença. Deixou de faltar.

Nesse exato momento, de acordo com a concepção platônica de Schopenhauer, minha vida profissional teria passado para o polo oposto do pêndulo: o do enfado. Do tédio. Por uma universidade já não mais desejada. Já não mais amada. No máximo tolerada. Docência que se arrasta. Como tudo que entedia. Felizmente, Platão e Schopenhauer não têm sempre razão.

Referência platônica também para Sartre. Que, para falar de desejo, consagra a definição "suicídio do prazer". Porque prazer e desejo não são a mesma coisa. Porque se excluem. Afinal, desejar pressupõe a falta. Enquanto que ter prazer implica presença. Encontro. Relação. Atrito.

E o desejo, que só subsiste na falta de seu objeto, busca a presença do mesmo. Busca, portanto, eliminar a sua própria condição. Determinar seu próprio fim. No encontro com o mundo desejado. Todo prazer é no momento que o desejo coloca fim nessa sua própria condição. Suicídio, portanto. Do desejo no prazer.

Ora, não deve ser neste pêndulo que a vida poderá valer a pena. Esta é convicção platônica. Mas também a de qualquer um. Para escapar desta sinuca, temos que assumir o controle da vida. O que só ocorrerá quando a razão puser ordem na casa.

Com ideias absolutamente verdadeiras na mão, colocaremos desejos e frustrações no seu devido lugar. Porque buscaremos o que é indiscutivelmente bom. E se nossos apetites não estiverem de acordo, terão que se conformar. A vida valerá tanto mais a pena ser vivida quanto menos o corpo e seus apetites derem as cartas.

E o leitor, apreensivo, pergunta:

— E se eu não for tão senhor assim da minha vida? Se não tiver ainda encontrado na minha alma as verdades absolutas tão importantes para o bem viver?

Bem, aí há fortes chances de você acabar vivendo como todo mundo. À deriva.

E só no caso de você já estar preparado, uma força maior o levará ao segundo capítulo.

2
Vida ajustada

Os gregos, de novo eles, estavam convencidos – ao menos em seu entendimento dominante – que a reflexão sobre a vida de um homem qualquer, como eu e você, seria completamente inadequada se o considerássemos isoladamente. Neste ponto, muitos de nós, contemporâneos, divergimos frontalmente deles. Assim, quando lá no início do Ensino Médio, antigo colegial, fiz um teste vocacional, só foram levadas em conta aptidões, inclinações, reações recorrentes, afetos que me diziam respeito. Exclusivamente.

Para os gregos, a vida de uma pessoa qualquer só pode ser valorada em função de referências que a transcendem. Ou seja, que vão além dela. Em outras palavras, para você, leitor, poder pensar sobre a melhor maneira de viver é preciso olhar para fora de si. Considerar outras coisas além de você mesmo.

– Mas que referências são essas? O que, fora de mim, poderia ser critério para definir a vida que eu vou viver?

De acordo com esta concepção grega de vida boa, a ser desenvolvida neste segundo capítulo, estamos todos inscritos no universo e dele fazemos parte. E isso é decisivo para escolher a vida que, instante a instante, optamos por viver.

– Como assim, fazemos parte?

Ajuste e participação

A palavra parte só encontra sentido em relação ao todo do qual ela participa. Por isso, a vida de qualquer homem só pode ser julgada em função da sua condição de parte, de uma parte específica, que este homem encarna neste todo maior e universal. Desta forma, dependendo da parte que formos, nossa vida deverá ser uma ou outra. Por isso afirmavam que a ética – reflexão sobre a vida – e a física – reflexão sobre a natureza e o funcionamento do universo – são sempre interligadas.

– Esse negócio de ser parte de um todo maior, e viver de acordo com esse todo, não sei se eu entendi muito bem. Tudo me parece um pouco abstrato. Comenta o leitor, com sinceridade.

Imagine, caro leitor, que esse universo grego possa ser comparado a um complexo organismo. De um bicho grande. Seu corpo é constituído por muitas partes, diferentes entre si. Órgãos. Estômago, intestino, pulmão, coração etc. Cada um deles é uma parte singular. Incomparável com as demais. Deve, portanto, existir de maneira singular dentro desse organismo. Perceba que não se pode esperar que o coração viva da mesma maneira que o estômago.

Outro artifício didático que pode nos ajudar é a comparação do universo com uma máquina. Imagine uma televisão antiga. Dessas do arco da velha. Com tubo e tudo. Lembro-me do dia que meu pai me deu literalmente um pedaço de um desses aparelhos para brincar. Imediatamente, perguntei:

– Mas o que é que eu faço com isso? Para que serve essa geringonça que você me deu?

Meus primos, mais velhos, chacoteavam de minhas indagações. Antecipavam que aquele treco não servia mesmo para nada. E talvez só por conta da sua total inutilidade que meu pai tenha se mostrado tão generoso. Mas se fosse possível reintegrar aquele pedaço no todo, imediatamente entenderíamos como funciona e para que serve. Recuperaria sua participação na finalidade do todo.

Ora, a partir desses suportes de comparação, podemos entender mais facilmente a análise que os gregos faziam da vida humana. Considerá-la isoladamente, equivaleria a querer investigar sobre a existência de qualquer parte fora do seu todo. Sobre o estômago apartado do resto do aparelho digestório. Sobre o pedaço da televisão sem o resto dela.

Por isso, para poder atribuir valor às possibilidades existenciais, com vistas à identificação da melhor, é imprescindível saber mais sobre esse universo do qual participamos. Na perspectiva grega, esse universo é finito, ordenado e, por isso, compreensível, lógico. Claro, se não houvesse nenhuma ordem, não seria possível encontrar uma lógica de funcionamento.

Mas, em que consiste exatamente esse atributo cósmico do universo? O que significava para eles, gregos, mais precisamente, estar em ordem? Muita coisa, certamente. Mas três características em especial ajudam a entender essa sua natureza cósmica.

Ajuste e lugar natural

A primeira delas refere-se ao lugar que ocupam as partes no universo. Tudo que faz parte do todo tem um lugar certo para estar no interior deste todo. Por isso, seu joelho está onde está e seu nariz também. Da mesma forma, o vento não venta em qualquer lugar, mas só entre pontos de pressão atmosférica discrepantes. A maré também não mareia em qualquer lugar, tanto quanto o sapo, que também tem lugar certo para sapear. Tudo que encontramos no mundo e faz parte do universo serviria aqui de exemplo.

E o leitor, que espero ainda esteja honrando sua condição, pergunta-se:

– Mas e o homem?

Ora, também faz parte do todo. Todo que não seria o que é, se não fôssemos como somos. Cada um de nós. Por isso, só podemos concluir que, tanto quanto o vento, a maré e o sapo, o homem também tem um lugar para estar, um lugar para viver, um lugar que lhe é natural.

Você leitor pode admitir nunca ter pensado nisso. Que pudesse haver uma ética de lugar. Geográfica, diríamos. E, então, você continua:

– Já entendi. O joelho tem que estar debaixo da coxa para o corpo poder dobrar a perna. Então, eu – que sou parte do universo como o joelho é parte do corpo – tenho que estar num lugar específico, para que o universo possa fazer alguma coisa que lhe é importante. Como dobrar a perna.

Impecável como reflexão

– Mas, vivemos sempre neste lugar? Pergunta você, um pouco apreensivo.

Ora, leitor, responda você mesmo. Tome sua própria existência como objeto de análise. Por acaso sua vida é sempre boa? Se não, bem-vindo ao time da humanidade. Cujos integrantes parecem já ter se acostumado a estar, de vez em quando, no lugar errado.

Ajuste e mitologia

A convicção de que também o homem tem um lugar natural para viver já está registrada no pensamento mitológico. Você se lembra que algum professor seu na escola falou de um tal de Homero. Que teria escrito a *Ilíada* e a *Odisseia*. Essas obras, provavelmente, você nunca leu. Eu também não as tinha lido, quando o professor sugeriu.

Pois bem, nesta segunda obra, a *Odisseia*, Homero conta as aventuras de Ulysses. Depois de ter tido uma participação decisiva na Guerra de Troia, – dessa você lembra, a história do cavalo –, pois bem Ulysses, graças à astúcia de ter introduzido os soldados no presente entregue aos troianos, conseguiu virar um jogo praticamente perdido. E tornou-se um herói.

E olha que Ulysses nem queria muito ir. Fez de tudo para ficar em Ítaca, onde sua esposa, Penélope, tinha acabado de dar à luz Telémaco. Fingiu ter enlouquecido. Semeou pedras no lugar de sementes. Mas o truque não colou e Ulysses teve que partir. Para 10 anos de viagem, afastado de Ítaca, onde era rei, longe dos seus e de todas as paisagens que tão bem sempre lhe fizeram. No lugar da harmonia e paz, o conflito e a discórdia. Perceba, caro leitor, que Homero apresenta Ítaca como o lugar natural de Ulysses. Condição geográfica da vida boa.

Terminada a guerra, Ulysses só tem uma coisa em mente. Voltar para casa. O tão desejado regresso a Ítaca. Mal sabia ele que dez outros longos anos o separavam de tudo isso. Dez anos de privações e provações. De angústia e frustração. O autor parece querer dizer que nem sempre é fácil viver no seu lugar natural. Para o homem, a vida em harmonia com o todo universal nem sempre é alcançada com tranquilidade.

Eis aí mais um enigma revoltante. O vento, pelo simples fato de ventar, já está em harmonia com o todo, existe no lugar certo e nem pode cogitar fazer diferente. A vida em harmonia para o vento não é uma conquista complicada e árdua. É uma inexorabilidade. Ao ventar, o vento já se encontra encaixado na harmonia cósmica do todo. De tão feliz, assovia. O mesmo para a maré, o sapo, a girafa e tudo mais de natural que faz parte do universo. Na natureza tudo é como só poderia ser. Felizmente. Necessariamente. Por isso, dizem os filósofos da época, regidos pelo princípio de necessidade.

Já o pobre do homem, que muitas vezes se sente tão privilegiado por poder decidir ele mesmo como vai viver, tem que fazer das tripas coração para encontrar seu lugar no universo e conseguir ficar alí. Sacanagem. Tudo porque, no caso do homem, pensavam esses gregos, a vida não está pronta. Em qualquer instante, ela pode ser de um jeito, mas também de outro. De infinitos jeitos na verdade. E toca a quem vive decidir, entre tantas possibilidades, a que será efetivamente vivida.

Por isso, só o homem pode viver mal. Só o homem pode errar na hora de viver. E isso acontece toda vez que ele não consegue se ajustar ao resto do universo. E o primeiro passo é encontrar o lugar, o seu lugar, aquele que, pelo fato de ser seu, não é o de ninguém mais.

Mas, voltemos a Ulysses. Nessa odisseia em que se converteu seu regresso a Ítaca, nosso herói teve que dar uma paradinha na ilha da deslumbrante Calipso. Uma deusa! Não uma banda. Secundária, na hierarquia mitológica. Mas o leitor me entendeu. Uma deusa, porque deslumbrante. Espetacular. Dessas que quando contempladas fazem entender a eternidade. O presente que nunca vira passado. O tempo do relógio desaparece da vida. Na contemplação de Calipso, a consciência do mundo contemplado bloqueia a consciência do eu que contempla o mundo. Toma todos os espaços. Imobiliza.

Vá anotando, caro leitor, ou leitora. Essas reflexões filosóficas podem ser usadas estrategicamente.

Isto porque fazer a corte, ou xavecar, é atividade da qual você nunca poderá abrir mão. Num mundo pouco letrado, onde cada vez mais as pessoas frequentam ambientes tão ruidosos, onde só lhes é facultado grunhir, um xaveco deste naipe pode produzir estupefação. O que não quer dizer, necessariamente, êxito. E assim, ninguém poderá me acusar de não ter dado alguma receitinha para viver melhor.

Mas o assunto é Calipso. Ulysses, tentando voltar para casa, vai parar na sua ilha. Ilha de abundância. Comidas deliciosas. Temperatura confortável. Sol o tempo todo. Praia todo dia. Com onda para o surfe, mas também com zonas de lagoa. Para que pudessem se pegar dentro da água. Sem falar nas ninfas que, também lindas, limpam tudo depois. De fazer inveja a qualquer paraíso. Um *resort* superprivê. E quer mais? Calipso se apaixona perdidamente por Ulysses. Solicita sua presença em três períodos. E acaba fazendo dele seu prisioneiro.

Eu posso ouvir você, leitor, dizendo:

– Mas, uma prisão assim, até eu. Pode me prender. Não oferecerei nenhuma resistência.

Pois é. Tudo poderia fazer crer que Ulysses não sairia mais de lá. Da ilha de Calipso. Mas, apesar de todas as delícias e comodidades, ele se sente profundamente infeliz. Olha para a direção de Ítaca e, como todo prisioneiro, se dá conta da impossibilidade de ir para onde quer. Para onde seu corpo se inclina. Para o lugar que é o seu. Ulysses quer voltar para casa de qualquer jeito. Todo fim de tarde, vai para a praia e chora. Em desespero. Sem saber como cair fora dali.

Mas o autor da trama quebrou seu galho. Atena, vendo sua angústia, pede a Zeus, seu pai, que mande Hermes até a ilha e peça a Calipso a libertação do nosso herói. Se houver resistência, que obrigue a nossa deusa a deixá-lo partir. Afinal, é Zeus quem está mandando. E Calipso é só uma deusa secundária.

Grande Atena. Tinha seus motivos. Provavelmente ciúme. Mas, assim, Ulysses recupera sua liberdade. Volta para onde sempre quis estar. Para os braços de Penélope. Infinitamente mais feia que Calipso. Segundo qualquer gabarito de beleza. Mas fazer o quê? É ela quem o espera em Ítaca. É com ela que Ulysses quer viver.

Neste momento, um leitor mais envolvido poderia propor sua inscrição na trama:

– Escute aqui. Se este tal de Ulysses não quer nada com a nossa deusa Calipso, ele que vá para o seu lugar natural e me deixe entrar no seu lugar. Reivindicação mais que legítima. Eu mesmo, caro leitor, que escrevo isso que você lê sentado no sofá de casa, com o *notebook* no colo, também cogitei desfecho semelhante. Nós, noveleiros, estamos acostumados a finais felizes, quando todo mundo acaba ficando com alguém. E se Ulysses não quer Calipso e sua ilha...

Mas a história não terminou. Calipso não se entregará tão fácil. Ela tenta uma última artimanha para segurar Ulysses. Oferece-lhe, como compensação pela sua permanência, a imortalidade e a juventude. Isto porque, somente a imortalidade, sem a juventude, ensejaria um envelhecimento interminável que desatenderia rapidamente as pretensões da deusa.

Imagine, leitor. A ilha já era tudo de bom. E agora, eternamente. E no auge da potência!

Pois é. Mas Ulysses não topou. Não quis saber da proposta de Calipso e voltou para Ítaca. De onde, por ele, jamais teria saído. Ora, esse desfecho quer dizer muita coisa. Que, para o pensamento mitológico – e posteriormente filosófico – grego, uma vida boa, ainda que finita, supera, e muito, uma vida eterna, fora de lugar. Em outras palavras, nada, rigorosamente nada, nem mesmo a eternidade com Calipso, compensaria uma vida em desarmonia com o universo. Uma vida vivida fora de lugar é pior do que a própria morte.

> Dócil, a ninfa se dirige à praia
> Onde Ulisses longânimo gastava
> A doce vida, os olhos nunca enxutos,
> Saudoso e enfastiado, pois com ela

Por comprazer dormia constrangido.
E gemebundo, o ponto contemplado,
Passava o dia em litoral penedo.
Rosto a rosto lhe fala a deusa augusta:
"Cesse o pranto, infeliz, não te consuma
Parte, consinto. Abate a bronze troncos.
De alto soalho ajeita ampla jangada.
Em que o sombrio páramo atrevesse"
(HOMERO. *Odisseia*).

Mais que isso: a odisseia de Ulysses permite entender que a vida que haverá de valer a pena ser vivida, a tal vida boa, é necessariamente finita. É dela de que estamos falando. Portanto, falar de eternidade é desviar o assunto. Sair do tema. Porque a vida só poderá ser harmônica com o resto do universo por ser finita.

Portanto, a morte faz parte dessa inscrição no todo cósmico. Deve, assim, ser entendida como condição de pertencimento na engrenagem universal. Condição de harmonia com o resto. Uma eventual vida eterna implicaria uma aberração. Uma agressão à ordem. Uma desarmonia. Um descomedimento que nos impediria a tão buscada conciliação com o universo.

Espero que, depois de toda essa longa narrativa, o leitor tenha percebido que a noção filosófica de um universo ordenado – e de um lugar natural – encontra raízes fora da filosofia. Essa vinculação relativiza a crença num milagre grego, comumente citado nos manuais de história do pensamento, para justificar o surgimento da filosofia naquele momento e lugar do mundo. Mas, essa ordem universal não se sustenta só pelo justo lugar das coisas. Outras duas características ajudam a precisar essa noção de cosmos.

Ajuste, atividade e finalidade

As coisas que se encontram no universo são diferentes umas das outras. Diante delas, podemos ter dois tipos de inquietação.

A primeira, que poderíamos chamar de científica, parte de um *corpus* dado, aceita-o como tal e tenta descobrir, digamos, seu funcionamento, as particularidades das relações que mantém com outros corpos e entre suas partes constitutivas. Assim, dado um sapo, que é o que é e se apresenta diante de nós, observamos para descobrir como vive, como se movimenta, como se alimenta, como se desloca. Podemos também abri-lo, para ver como é constituído.

A segunda inquietação, poderíamos denominá-la mais propriamente filosófica ou metafísica. Não se trata mais de saber como funciona. Mas por que o ser é, por que é do jeito que é. Veja a diferença, caro leitor: uma coisa é tomar um corpo no mundo, aceitá-lo, e verificar como vive. Outra coisa é se perguntar por que aquela coisa está no mundo, a que veio, de onde veio, o que justifica sua presença ali.

— Suponho que a preocupação que nos interessa mais seja a metafísica, não? Mas deve ser preciso ser filósofo para se preocupar com estas coisas?

Não necessariamente. A preocupação metafísica não nos abandona em nosso cotidiano. De qualquer um de nós. Por exemplo: Minha filha de 7 anos, há poucos dias, fez-me uma indagação intrigante:

— Papai, por que nosso cãozinho é diferente do da Érica?

Não sei se o leitor se dá conta da complexidade da pergunta. Uma coisa é constatar a diferença. A outra é investigar o porquê desta diferença. Estamos acostumados a começar a refletir a partir da constatação da diferença. No caso, a diferença entre os cães. Mas o que me perguntou minha filha é o porquê desta diferença. Confesso que fiquei perplexo. Para ganhar tempo, perguntei quem era Érica.

– Minha colega de escola. Você conhece. Veio aqui no meu aniversário. Seu cachorro é gordo e tem uma língua azul. O nosso é comprido. Parece uma salsicha. Tem pernas curtas e distantes as da frente das de trás. Por que são tão diferentes, papai?

Pedi a minha filha que se sentasse ao meu lado. Afinal, a compensação para tão espinhosa resposta tinha que ser um pouco de proximidade. De carinho. Sentamos, lado a lado, no sofá onde me encontro agora.

– Tentemos uma explicação à moda dos gregos, disse eu.

Minha mulher, que estava por perto ajudando a pensar na resposta, tentou castrar minha explicação com a advertência:

– Ela só tem 7 anos!

Ignorei. Afinal, nesta idade, ainda não tivemos tempo para ocupar a mente com o que querem que saibamos a qualquer preço. Ótimo momento para filosofar.

Minha filha! Os gregos – que eram como nós, mas que viveram há muito tempo – acreditavam que tudo que existe no mundo, todos os corpos, são do jeito que são porque, sendo assim, estão maravilhosamente adequados para fazer uma atividade que lhes cabe. Você não faz atividades que a professora pede, lá na escola?

Tentei, eu, dar uma de didático. Pois bem, tudo que existe no mundo tem uma atividade que é a sua. Específica. E, sendo do jeito que é, está melhor preparado para ela.

Minha filha fazia uma cara de quem pede um exemplo. Não seja por isso:

Dentro da nossa barriga tem o intestino. Ele é maravilhoso para fazer o que tem que fazer. Peristaltismo. Poupei minha filha deste palavrão. Mas lembrei que se o cocô sai é porque algo o empurra para fora. E esse algo tinha que ser como é. Uma espécie de tubo, capaz de exercer pressão. Para expulsá-lo. Daquele jeitinho que ela vê, todo dia, na privada.

Assim, tudo é maravilhoso, se considerarmos a adequação perfeita entre qualquer coisa, suas características e a atividade que dela se espera. O vento é constituído de ar. Ar que se desloca. Ar que venta. Imagine se não fosse ar que se deslocasse por aí, mas pequenos cacos de vidro. Ou rolos de macarrão.

— A menina já entendeu, adverte a mãe com ternura.

Pois bem. Se o cachorro da Érica é como é, é porque é do jeitinho que tem que ser para a sua atividade. E o nosso também. Se são diferentes na sua constituição física é porque o universo espera deles atividades diferentes. Atividades que os poriam — cada um na sua — em sintonia com a ordem universal.

— Ainda não entendi porque o Said é como é. Insiste minha filha. Said é como chamamos o nosso cão.

— Tem alguma coisa que fica mais fácil de fazer por parecer com uma salsicha? Perguntou ela, tentando facilitar a minha vida.

Exatamente, bradei orgulhoso.

— E o que é? Pergunta, ela curiosa.

Ora, Said, sendo como é, consegue entrar em lugares, em buracos que outro cão, talvez como o da Érica, não consegue. Por isso dizem que o Said é um cão de toca.

— Mas aqui na nossa casa não tem nenhuma toca. O que acontece quando o cão de toca não tem uma toca para entrar? Pergunta minha filha, com preocupação.

Ora, não havendo toca, sua existência se dá fora de lugar. Ele está objetivamente deslocado. Por isso, afetivamente, ele entristece.

— Mamãe, mamãe. O Said é triste. Não tem toca para ele aqui!

– Peça ao seu pai para encontrar uma toca para que ele possa entrar de vez em quando. Sugere a mãe, num misto de ironia e provocação, próprias a matrimônios de mais de uma década.

O exemplo do Said é oportuno. Mas o nosso tema é a vida humana. Se o homem faz parte do universo, ele também deve agir de forma a justificar a especificidade de sua natureza.

Temos, todos nós, características comuns que justificam uma zona prática comum. Coincidência nas atividades. Mas temos também traços singulares que nos levam a buscar uma especificidade de conduta.

– O que há de comum em nós? Que traços estão presentes em todos nós, e só em nós? E o que esses traços podem ter a ver com nossas opções de vida?

Querido leitor. Minha filha ocupou seu lugar. Já estava com saudades das suas intervenções. Ora, temos braços em comum. Pernas, olhos, axilas – para os que não passaram por amputação. Mas esses traços não constituem nossa especificidade. Outros animais também contam com tudo isso para viver. Nem todos. Conheci Cecília, a cobra cega. Não tinha axilas. E não passou por amputação.

Temos também razão e linguagem. Curiosamente, os gregos as denominavam, ambas, da mesma forma: *logos*. Consideravam essa a nossa especificidade. Pode-se discutir. Afinal, como bem elocubra Unamuno, insuperável filósofo e provocador basco, quem nos garante que um caranguejo não resolva uma equação de segundo grau com mais rapidez que qualquer um de nós?

Voltemos aos gregos. O *logos* – razão e linguagem – permite-nos concluir que somos pensantes e sociais. A razão nos faculta pensar, e a linguagem nos possibilita a comunicação e a sociabilidade. Daí a famosa definição proposta por Aristóteles: o homem é animal político, dotado de razão. Assim, a vida boa de qualquer um de nós deverá ser considerada, necessariamente, a partir desses dois traços. Por isso, seja lá o que formos fazer da própria vida, a racionalidade e a sociabilidade deverão ser decisivas nas nossas escolhas.

> Assim, o homem é um animal cívico, mais social do que as abelhas e outros animais que vivem juntos. A natureza, que nada faz em vão, concedeu apenas a ele o dom da palavra (*logos*), que não devemos confundir com o dom da voz. Este é apenas expressão de sensações agradáveis ou desagradáveis, de que os outros animais são, como nós, capazes. A natureza deu-lhes um órgão limitado a este único efeito; nós, porém, temos a mais, senão o conhecimento desenvolvido, pelo menos o sentimento obscuro do bem e do mal, do útil e do nocivo, do justo e do injusto, objetos para os quais nos foi dado o órgão da fala (ARISTÓTELES. *Política*).

Para além do que nos é essencial – e, portanto, comum – um grande número de particularidades também nos constituem. Estas nos singularizam, nos discriminam. Elas também precisam ser consideradas na hora de pensar na vida. Afinal, a maravilhosa adequação entre o que somos e as atividades que são as nossas devem concernir não só o que temos de comum, como também o que temos de particular.

Por isso, toda tentativa de propor soluções existenciais padrão, aptas a garantir a felicidade ou o sucesso de qualquer um, despertaria a desconfiança absoluta dos pensadores que estamos comentando. Afinal, se pertencemos a um todo ordenado e somos diferentes – a despeito de traços essenciais e comuns –, é normal que tenhamos papéis distintos nesta complexa engrenagem do universo. E as mesmas 10 lições ou 7 hábitos que garantem a felicidade de uns decretam tristeza profunda em muitos outros.

E o leitor, sempre inquieto, pergunta:

— E como posso saber quando estou fazendo aquilo que me cabe nesta engrenagem? Ora, caro leitor. Estando no lugar certo e buscando a excelência na atividade que faz jus à sua natureza, você é feliz. Vive, portanto, uma vida boa.

Quando falo sobre isso com meus alunos, lembro sempre de minha mãe. É viúva há 12 anos. Mora sozinha desde então. Quando posso, vou almoçar com ela durante a semana. Neste momento de maior intimidade, ela bate sempre na mesma tecla. Lamenta-se de eu não ter dado sequência a uma carreira jurídica começada em Brasília no início dos anos de 1990 para viver como professor. E sempre me faz a mesma pergunta:

— Meu filho, você não se arrepende da opção de vida que fez?

O que diria Aristóteles a minha mãe? Que há muitos no mundo talhados por cinzel para trabalhar na atividade legislativa do Estado. Estes se encantam na hora de redigir um regulamento, um estatuto, um regimento interno. Deliram num debate de técnica legislativa. Quando compram um eletrodoméstico, leem todo o manual antes de pôr para funcionar. Sem falar em bulas de remédio, longos contratos e tudo mais que normatiza a vida.

— Mas este não é o caso de seu filho. Que tem horror a tudo isso. Seu lugar natural deve ser mesmo outro. Talvez a sala de aula. E a atividade que faz jus à sua natureza? Bem, acho que no momento atual, deve ser mesmo dar aula. É só por isso que ele é do jeito que é.

O indício mais inequívoco desta inclinação é a felicidade de que desfruta na docência. E a tristeza que a prática legiferante lhe impunha. E que fique claro: as atividades, todas elas, nunca são boas ou más em si, mas adequadas ou inadequadas para este ou aquele que se dispõe a vivenciá-las.

Mas essa atividade natural, aquela para a qual somos mais talhados, não esgota a explicação da ordem cósmica. O mais decisivo para a vida ainda está por vir. Esses mesmos gregos estavam convencidos de que a vida boa dependia de mais uma referência. Além do lugar e da atividade. A mais importante delas: a finalidade, o *thelos*.

Tudo no universo tem uma finalidade para alcançar ao longo de sua existência. Nele, não há nada de bobeira. Sem finalidade. Sem ter aonde chegar. Ou para onde ir. Como diria Aristóteles, a natureza não faz nada em vão. E a vida boa depende demais dessa finalidade. Afinal, o que chamamos de vida acaba sendo todo o nosso esforço, mais ou menos competente, para alcançar a finalidade que é a nossa.

Assim, quando o vento venta, não venta por ventar. Venta porque ventando, refresca. Ventando poliniza. Fertiliza. Da mesma forma, o estômago digere, o intestino peristalta e peristaltando, excreta; o coração bombeia e bombeando faz circular o sangue, e assim por diante.

Como o leitor perceberá, não há que pensar no peristaltismo sem considerar sua finalidade, a saber, a excreção. Como também não faz nenhum sentido pensar no bombeamento do coração sem considerar a circulação do sangue. E, desta forma, também não faz nenhum sentido pensar no homem, na sua atividade, na vida concreta que decide viver, sem considerar a sua finalidade.

> Podemos comparar os cidadãos aos marinheiros: ambos são membros de uma comunidade. Ora, embora os marinheiros tenham funções muito diferentes, um empurrando o remo, outro segurando o leme, um terceiro vigiando a proa ou desempenhando alguma outra função que também tem seu nome, é claro que as tarefas de cada um têm sua virtude própria, mas sempre há uma que é co-

mum a todos, dado que todos têm por objetivo a segurança da navegação, à qual aspiram e concorrem, cada um à sua maneira. De igual modo, embora as funções dos cidadãos sejam semelhantes, todos trabalham para a conservação de sua comunidade, é a este interesse comum que deve relacionar-se a virtude de cada cidadão (ARISTÓTELES. *Política*).

Por isso, se temos particularidades em nós é porque há também alguma particularidade em nossas finalidades. Algo de exclusivo. E, se temos todos algo em comum ou essencial, é porque há algo em nossas finalidades que justifica esta comunhão: a finalidade comum a todos nós. E esta é o bem supremo. Aquele em função do qual todos os esforços, todas as estratégias, todas as práticas podem ter algum valor. E esse bem supremo é a felicidade. Que os gregos nomeavam *eudaimonia*.

Ajuste e *eudaimonia*

Eis, caro leitor, o ponto-chave deste capítulo. A *eudaimonia*. Indício de que a vida que escolhemos para viver é a adequada. A tradução de *eudaimonia* por felicidade ajuda e atrapalha ao mesmo tempo. Ajuda porque indica alguma coisa boa. Atrapalha porque a noção grega é infinitamente mais precisa do que a nossa. Preferível, a partir de agora, usarmos o termo grego. E invadirmos os meandros desta noção: a vida *eudaimônica*, o instante de vida *eudaimônico*.

Eudaimonia é, como dissemos, bem supremo. Soberano. A finalidade última. Aquilo que não é meio para nada porque já é o máximo que se pode pretender. É vida que vale por ela mesma. Que esgota nela mesma sua razão de ser.

> Ora, ao que se busca por si mesmo, chamamos mais final que ao que se busca por causa de outra coisa, e ao que nunca se elege por causa de outra coisa, consideramos mais final que aqueles que se elegem, ou por si mesmos, ou por outra coisa. Finalmente, chamamos final ao que sempre se elege por si mesmo e nunca por outra coisa. Tal parece ser, sobretudo, a felicidade [*eudaimonia*] (ARISTÓTELES. *Ética a Nicômaco*).

Você lê e relê esta definição. Mas não tem certeza de ter entendido. Vamos ter que recorrer aos famosos exemplos. Um amigo da faculdade me convida para jantar na sua casa. Domingo. Pergunto pelo seu filho. Diz que está estudando no quarto. Decido ir chamá-lo. Encontro o garoto de 17 anos em plena resolução de equações.

— E aí cara! Rachando em pleno domingão? Ele poderia ter dito:

— Tio, chega mais. Olha que tesão de equação. Quanto mais embaçada, melhor. Quando chego no resultado seguindo um certo método, resolvo a mesma equação por outro método. Me excita essa história de checar o resultado. Assim que acabo de resolver uma, passo logo para outra. Fica difícil ir dormir sem ter matado todas.

Mas não foi isso que ele disse. Admitiu que só estava estudando por causa da prova do dia seguinte. Que tinha até perdido a transmissão do jogo para estudar. Que odiava aquelas malditas equações.

Perceba que, no primeiro caso, a resolução das equações era vida que valia por si só. *Eudaimônica*, portanto. Se você perguntasse ao garoto para que ele estava estudando com tanto afinco, certamente responderia: para nada. Para nada além do próprio estudo. Porque *me gusta*. Equação que vale pela equação. Matemática que vale por ela mesma. Matemática que faz feliz. Assim, quando há *eudaimonia*, a pergunta sobre a finalidade do que se está fazendo não pode encontrar nenhuma resposta, a não ser ela mesma.

Já, na resposta que ele deu de verdade, o estudo dominical é apenas meio para a prova do dia seguinte. Vida que não esgota nela mesma sua razão de ser. Vida instrumental. Sem soberania. Vida que serve para algo. Útil e servil, portanto.

Diante da resposta clara do rapaz, que tirava daquela noite de domingo toda soberania existencial, perguntei-lhe sobre a prova do dia seguinte. Afinal de contas, se ele tinha hipotecado aquele instante de estudo no domingo em nome da prova, não estava excluída a perspectiva de uma vida valorosa por si mesma durante a prova. Depois da pergunta, expliquei que alguns alunos meus demonstravam grande prazer durante as avaliações. Exultavam a cada resposta.

O rapaz me olhava assustado.

— Bem que meu pai falou que o senhor sempre foi meio doido. Preciso tirar 7,5. É só isso que me interessa nesta prova.

— Mas 7,5 para quê? Perguntei, antevendo a resposta.

— Pra passar de ano, ué!

Esse menino parece estar acostumado a empurrar com a barriga a vida que vale por ela mesma. Domingo vale por segunda. Segunda pelo ano que vem. O ano que vem pelo vestibular. E, seguindo a mesma política existencial de sonegação da felicidade, o vestibular valerá pela faculdade, a faculdade pelo diploma e estágio, este último pela efetivação. E, por isso, o primeiro emprego valerá pela carreira. E cada degrau da mesma, pelo subsequente. Para que, no fim, quando nada ou pouca coisa tenha valido por si mesma, ou simplesmente valido, alguém possa dizer que a verdadeira razão de todo o vivido está fora da vida. Transcende.

Uma vida em que o que vale a pena está sempre adiante. Vivida na esperança. Que não passa de um desejo na ignorância da superveniência do que esperamos, na impotência de fazer advir o que esperamos e na castidade, porque no desencontro com o que esperamos.

Um exemplo positivo de *eudaimonia* seria pertinente, neste instante. Os 12 primeiros anos da minha vida não foram propriamente excitantes. Era um CDF ortodoxo. Hoje chamam de *nerd*. Estudava muito. Quase sempre tirava ótimas notas, mas não vibrava com elas. Tentando me animar, meu pai me levava ao estádio do Morumbi. Durante a partida, entretinha-me limpando cascas de amendoim. Ele tinha que me avisar do gol. Eu comemorava para alegrá-lo. E ele me esclarecia irritado:

– Gol dos caras, porra!

Preocupado com minha apatia, colocou-me numa escola de artes. Tinha de tudo. Pintura, escultura, argila, porcelana, música, flauta, teatro, e todo o resto. Todos diziam que arte é demais. Arte é isso, arte é aquilo. Tudo de bom. Mas, com uma semana de frequência na tal escola de arte, a professora convocou meu pai para uma reunião. Disse que ali havia quatro tipos de aluno: os super talentosos, que adoravam as atividades e não queriam sair de lá; os que não eram tão talentosos, mas se esforçavam muito e também adoravam ficar por lá; os que não tinham talento nenhum, mas enquanto ficavam por lá se divertiam bastante; e eu.

Mas aos 13 anos vivi instantes diferentes. Entendi o sentido da palavra entusiasmo. Deus vibrando em você. No caso, em mim. O professor de geografia distribuiu temas de seminário. Talvez não gostasse de dar aula. Coube-me falar sobre o petróleo. No dia de minha intervenção, sem poder antecipar o que iria acontecer, apresentei-me. Arrastando-me, como sempre. Embora estudasse mais que a maioria, meus colegas tinham apreço por mim. Era um pouco mais jovem que eles. Na hora que eu ia começar a falar, todos se mostraram muito interessados.

Subi no tablado da classe. No prédio antigo dos jesuítas em São Paulo. Já demolido por respeito ao capital. Fitei demoradamente os colegas. Instante mágico. Todos na expectativa do que eu poderia dizer. Quanto mais eu me demorava, mais atentos ficavam. O professor, burocrático, seria incapaz de entender a riqueza da troca silenciosa. Cobrou o início do seminário com os recursos que eram os seus:

– Que foi? Engoliu a língua?!

Comecei a apresentar o que tinha decorado da leitura do grande conterrâneo Melhem Adas, autor do livro didático adotado. Não me dei conta de que estava indo rápido demais. Em 20 minutos tinha esgotado o assunto. Num seminário que deveria durar 50. Comuniquei a todos, um pouco constrangido, que já tinha terminado. Quando um colega levanta a mão. Pede para falar.

– Professor, deixa ele continuar. É legal o jeito que ele fala.

Era tudo que o professor queria. Que eu continuasse falando, preenchendo assim o tempo integral da aula.

– Se ele quiser falar, que fale. Não me oponho.

A bola estava comigo. Coube a mim decidir entre a solução apequenada de confirmar o término da minha intervenção – em respeito ao rigor das ciências geográficas – ou optar – ouvindo o clamor de cada uma de minhas células – por continuar falando. Sobre qualquer coisa. Fosse qual fosse o conteúdo. Afinal, o colega já tinha entendido tudo. O legal era "o jeito que ele fala".

Decidi, então, continuar. Neste momento, lembrei do meu pai. Sem nenhum estudo superior, sempre dizia coisas que, mais tarde, encontrei, com outras palavras, na mais refinada produção filosófica.

– Preste atenção! Demore o tempo que for para se decidir. Mas uma vez tomada a decisão, encapsule-se e avance. O mundo inteiro poderá se articular para se opor a ela. Mas, pra trás, nem pra pegar impulso.

E, para concluir, com o carinho de sempre:

— Seu bosta!

Empertiguei-me e continuei.

— Até aqui, falamos apenas da existência das principais bacias petrolíferas do planeta. Não vou me alongar. O assunto é simples. Basta ler no livro. A partir de agora, pretendo expor algo mais complexo. Não está no livro. Peço que anotem porque pode cair no vestibular. Trata-se da qualidade energética do petróleo destas diversas bacias.

Meus colegas mais chegados, todos *nerds* como eu, entreolhavam-se e apontavam para a própria cabeça fazendo um gesto circular com o dedo, indicando loucura. Olhei um pouco para trás e observei o professor que tirava os óculos para ouvir com mais atenção. Tive medo. Mas lembrei-me do meu pai. A frase do impulso ecoava na minha cabeça.

Ergui mais o peito e afirmei com cara de poker:

— O melhor petróleo do mundo é o petróleo da Romênia.

Começaram a anotar. Isto me encorajou.

— Do norte da Romênia, região da Sildávia (terra de Cecília, a cobra cega, cuja existência descobri lendo *As Aventuras de Tintin*).

Olhei para o professor que demonstrava enorme hesitação. De um lado, não podia supor que eu estivesse inventando tudo aquilo. Mas, por outro lado, nada do que eu dizia lhe parecia familiar. Senti que era a hora de partir para cima e perguntei-lhe:

— O senhor sabia disso?

Ele meneou a cabeça atônito.

– Então, por que não anota o que estou dizendo para aprender alguma coisa.

A falta de reação docente terminou de me encher de confiança. Os alunos deslumbrados anotavam cada palavra. E eu, bem eu, tive certeza de que aquele lugar era mesmo *duca*. Como é que eu poderia ter vivido até aquele dia sem nunca ter sentido o que estava sentindo ali?

A aula melhorou muito. Eu não precisava mais me lembrar das informações do livro. Eu as inventava. Falei de petróleo em Fernando de Noronha, na ilha do Bananal e terminei com uma profecia, do alto da Avenida Paulista:

– Anotem para me cobrar mais tarde. Tem petróleo aqui, bem em baixo dos nossos narizes. Podem apostar.

Soou a sirene indicando o fim da aula. Meus colegas aplaudiam de pé. Um deles inquiriu o professor:

– Por que o senhor não deixa ele dar todos os seminários?

– Porque ele só se preparou para falar sobre o petróleo, respondeu o mestre com enfado aparente.

– Quem falou? Perguntei eu, em tom desafiador.

Na hora de relatar ao meu pai o seminário, ele não precisou mais de alguns segundos para perceber que algo de muito especial tinha ocorrido. A vida tinha valido a pena. Tinha se justificado por ela mesma. Tinha sido feliz. Por isso, não lembro da nota, não lembro de mais nada, e nunca mais precisei exibir meus conhecimentos – verdadeiros e inventados – sobre o petróleo.

Mais tarde, agora no papel de professor, não raro algum aluno me pergunta:

– Sua aula não serve pra nada?

E orgulhosamente esclareço que não. A aula que vale por ela mesma é aula soberana. Em contrapartida, a que serve para alguma coisa é simplesmente uma aula servil.

Espero, caro leitor, que os exemplos tenham terminado de esclarecer. A vida que vale a pena neste capítulo, vale por ela mesma. No instante mesmo em que é vivida. E isso acontece quando nos ajustamos ao universo. Ocupando o lugar que é o nosso, desempenhando com excelência a atividade para a qual fomos talhados e buscando a finalidade que é a nossa como parte do todo.

3
Vida prazerosa

O prazer é sempre bom. É tudo de bom. Por isso, buscamos, na vida, o máximo de prazer. Às vezes, a mera redução de um desconforto já é prazerosa. Platão, na *Apologia de Sócrates*, relata a iniciativa deste último de afrouxar as correntes, o que lhe teria proporcionado algum prazer.

Por isso, bebemos para aplacar a sede, comemos para eliminar a fome. E, assim, damo-nos conta de que os prazeres têm muito a ver com os sofrimentos. Por isso, quanto mais intensas e diversificadas as carências, maior a chance de um encontro prazeroso com o mundo. Esperança dos carentes. Tédio dos abastados.

Vimos, no primeiro capítulo, como a vida boa foi pensada racionalmente. Fundada em noções absolutamente verdadeiras. Indiscutíveis. Discernidas pela razão: detentora do Bem Supremo, palco de todas as verdades e fuzil das paixões. Apresentada como condição da felicidade e do combate aos vícios morais. No entanto, essa confiança na razão e nas tais verdades absolutas para viver bem nem sempre fez unanimidade.

Prazer e reputação

A referência deste capítulo é Epicuro. Filósofo nascido na ilha grega de Samos em 341 a.C. Com longa trajetória em Atenas. Foi aluno da Academia, após a morte de Platão. É tradicionalmente apresentado como porta-voz maior do pensamento materialista. Hostil ao platonismo. Nossa escolha se justifica pela atualidade do seu pensamento, pertinente à sociedade contemporânea. Tanto para os que com ela se encantam quanto para seus mais ardorosos críticos. Sua tese central é tentadora: a busca do prazer é condição e definição da própria felicidade.

Esta relação da vida boa com o prazer rendeu ao pensador a pior das reputações. Não só entre seus contemporâneos, mas ao longo de toda a história do pensamento. Não faltaram blasfêmias. Devemos a Diógenes Laércio uma longa lista delas. Apelidado de porco. Acusado de lascivo. De promíscuo. De indecente. De plagiador. De abusar de todas suas alunas. De colecionar prostitutas. De ter prostituído seu irmão. De não ser muito cordial com outros pensadores. De ser estrangeiro, em Atenas. Inferior, portanto. De adulador dos poderosos. De grosseiro e boca suja. De glutão e beberrão. De vomitar duas vezes por dia. Com tantos predicados, não sei se o leitor ou a leitora lhe confiariam de bom grado a mão de sua filha.

O pensamento de Epicuro, no entanto, contradiz todas essas imputações. Tudo que foi conservado da sua obra recomenda prudência e comedimento. A construção do prazer, curiosa expressão sua, depende de um controle dos desejos mais do que da sua satisfação desregrada. Com vistas a fazer frente a tudo que gera o temor e a angústia. A reduzir ou eliminar a dor e o sofrimento.

Epicuro pretende preparar-nos para o mundo. Tal como ele é. Dedica-se, assim, a atacar ficções, como mitos, crenças, religiões e dogmas. E, desta forma, promover a paz interior, do corpo e da alma, que constituem, para ele, uma só realidade. Como o leitor pode perceber, as pretensões desta filosofia não poderiam ficar de fora de nenhum livro consagrado à vida boa.

Prazer e terapia

Desde sempre, muitas pessoas refletem e conversam sobre a real possibilidade de mudar suas vidas, de serem finalmente felizes. Amigos, parentes, antigas namoradas, sacerdotes, professores convertem-se em cobiçados confidentes. De grandes desabafos. De longas ponderações sobre como fazer para que a vida possa ser um pouco melhor. Nos dias de hoje, é comum, nos divãs de psicanalistas, adultos, idosos, pais e mães de família manifestarem insatisfação com a própria existência, desejo de mudança.

Muitos, de fato, conseguem, falando, reduzir essa insatisfação. Vale o registro, caro leitor, de que essa iniciativa de falar sobre a vida já era recomendada por Epicuro aos seus discípulos, lá pelos idos de 3 séculos a.C.

Prazer e idade da felicidade

Um tema sempre implícito na reflexão sobre a vida boa interessou o filósofo. Haverá uma idade, melhor do que outras, para viver bem? A felicidade tem idade? Ainda me sobra tempo para ser feliz? Ou, ao contrário, será muito cedo ainda para que a vida possa ser boa?

Epicuro não inaugura essa discussão. Platão e Aristóteles, por exemplo, só ensinavam sobre "ética" e "felicidade" a alunos de 30 anos no mínimo. Estavam convencidos de que era preciso alguma experiência de vida como pré-requisito para conseguir pensar sobre as próprias ações e julgá-las segundo os valores morais absolutos, já citados no primeiro capítulo.

A juventude, segundo platônicos e aristotélicos, é afoita, faminta e estabanada por saber ou, muitas vezes, indolente. Por isso, os jovens não estariam preparados para entender a justiça, a coragem e a prudência sem uma formação teórica adequada e um leque maior de experiências.

Lembro-me de um professor do colégio, herdeiro desta concepção, que sempre repetia, com alguma empáfia: "Tem muito que se estrepar na vida para poder entendê-la". Assim, a boa vida dependeria de uma longa trajetória de experiências. De rodagem, como dizem uns. De estofo, para outros.

Mas este não é o entendimento de Epicuro. Em uma carta endereçada a um discípulo, Meneceu, também chamada de "Carta sobre a felicidade", deixa claro seu ponto de vista: não há idade para viver feliz. E, antes que me esqueça, leitor, mais um lindo texto para nossa bibliografia.

> Quem é jovem não espere para fazer filosofia; quem é velho não se canse disso. Com efeito, ninguém é imaturo ou superado em relação à saúde da alma. Quem diz que ainda não é hora de fazer filosofia, ou que a hora já passou, parece-se com quem diz, em relação à felicidade, que ainda não é o momento dela, ou que ele já passou. Por isso, tanto o jovem como o velho devem fazer filosofia; um para que, embora envelhecendo, permaneça sempre jovem de bens por causa do passado, o outro para que se sinta jovem e velho ao mesmo tempo, para que não tema o futuro (EPICURO. *Carta a Meneceu*).

Prazer e construção da ataraxia

Epicuro, no texto acima, compara o ato de filosofar com o de buscar a felicidade. Tanto um quanto o outro, como fica bastante claro, não devem ser relegados ao futuro e nem deixados para trás, como um passado que não se concretizou. O bem-estar, a tranquilidade do corpo e da alma, em grego *ataraxia*, deve ser vivido sempre que possível no instante presente. Mas para isso, é preciso algum investimento.

O instante vivido não será tranquilo e feliz por um acaso. A tranquilidade corporal e psíquica de amanhã dependerá do que fizermos de nossas vidas hoje. Ou, como dizem em distantes terras epicuristas, quem sua língua aluga, não fala a hora que quer. Assim, se você detonar o próprio organismo condenando-o a digerir substâncias lesivas, saiba que pagará um preço por isso em algum momento do devir.

Da mesma maneira, o que nos acontece hoje, em grande medida, decorre do que fizemos de nossas vidas no passado. Sem grandes milagres. Nem sobressaltos. Assim, caro leitor, se num momento você tem a sensação de que começou a chover na sua horta, saiba que, isto tem necessariamente a ver com a maneira como você viveu em momentos já vividos. Por outro lado, se o mar não estiver para peixe, não pense que as opções de outrora não tiveram nada a ver com isso. Nem culpe Plutão por estar alinhado com Saturno.

E aqui, você levanta a mão e pede para falar.

– Não sei se isso é tão simples quanto esse tal de Epicuro propõe. Essa estória de que tudo que nos acontece hoje depende do que fizemos antes não me convence. Acho que muitas outras variáveis participam da vida, para além de nossas decisões passadas. Você se lembra daquele jogador de futebol. Um atleta profissional. Sempre se alimentou bem. Com hábitos regulares. Treinamentos cuidadosamente planejados por um professor de educação física e descansos adequados à idade. Pois bem. Durante uma partida, ainda no primeiro tempo, passa mal e morre em campo. Inapelavelmente. Colapso cardíaco. Enquanto isso, muitos outros, torcedores fanáticos, comedores de bacon, sedentários e glutões, regulares só na degustação de uma cervejinha, assistem pela televisão a vida do atleta chegando ao fim. O que Epicuro diria disso?

Querido leitor. Não sei o que responderia. O contato com ele se fez difícil. Sobretudo depois que morreu. Falo por mim. A reflexão que você propõe é, sem dúvida, de grande pertinência. E revela bom entendimento do que estamos apresentando. Além de espírito crítico, como dizem os que se interessam por educação.

De fato, falta à perspectiva epicurista um pouco de humildade face à complexidade do real que nos constitui e com o qual nos relacionamos. Afinal, o ineditismo de todo instante existencial descredencia toda pretensão a uma vida sem sobressaltos. Isso vale para crises econômicas que pegam a todos de surpresa, retumbantes fracassos de pomposos favoritos e muito mais.

Não raro, o real parece zombar de nossas precauções e empáfias. Porque sempre buscamos regularidades, normalidades, recorrências, leis da natureza, princípios. E o que o mundo não para de nos esfregar na cara é que tudo não passa do resultado singular, incomparável, de encontros inéditos, protagonizados por corpos que nunca tinham se encontrado, e que nunca tinham sido constituídos como no momento daquele encontro.

Assim, quando um bebê já nasce com câncer, fica difícil responsabilizá-lo. E como encontrar culpados alivia a dor, por que não em outros mundos? Ou em nexos de causalidade bizarros, assegurados pelos zeladores de alguma justiça universal?

Mas isso, sou eu que estou propondo. Para que você não ficasse sem interlocução. Mas, se me permitir, voltemos ao filósofo do prazer. E sua preocupação com a formação moral para a felicidade.

Prazer e educação para a felicidade

Epicuro sempre se questionou sobre a real importância do conhecimento desvinculado da vida. Afastado da alegria e da tristeza. Outra discussão de grande atualidade para nós. Porque muito pouco do que fomos obrigados a aprender tem diretamente a ver com isso. Talvez nada.

O leitor se lembrará. Decoramos a tabela periódica. Todas as organelas citoplasmáticas. Sua estrutura e função. O professor era rigoroso. Denunciava a possível confusão entre lisossomos e ribossomos. Mais próximos na fonética do que na funcionalidade. Aprendi também a somar matrizes. A calcular logaritmos. Afinal, log de a na base b é igual a x. Portanto, b elevado a x é igual a a. Mas, desde aquele tempo, já nos perguntávamos: e daí? O que a minha vida tem a ver com tudo isso?

Certamente, há resposta para essa pergunta. Que mostre o quanto todas essas informações estão diretamente relacionadas às minhas experiências de vida. Por exemplo: parece que o logaritmo tem a ver com o pH. E identificar se é ácido ou base ajuda. Sobretudo para alguém como eu, que tem o estômago baleado. Ainda assim, como exatamente usamos o tal logaritmo para calcular o pH, isto ninguém me ensinou.

Mas o que posso lhes garantir, leitores amigos, é que nunca, nenhum professor que tive, de nenhuma disciplina, preocupou-se em esclarecer esse decisivo vínculo entre seu conteúdo programático e a minha vida. Espero que não tenha sido vítima, você também, do mesmo infortúnio escolar.

E vou mais longe. Muito tempo depois dos bancos do colégio, tornei-me, eu mesmo, professor. Meios de comunicação eram o assunto no começo da carreira. Afinal, sempre começamos por onde nos dão chance. Durante muitos anos esforcei-me para fazer o melhor. Mas admito nunca ter me preocupado em relacionar o que estava ensinando com as vidas de meus alunos. Sobre as quais, aliás, nunca tive muita informação. Como se essa relação fosse óbvia. Como se a importância do que tentava explicar fosse evidente demais para ser esclarecida.

E esses futuros jornalistas, advogados, escritores, donas de casa, como poderão utilizar, a seu favor, a teoria de Laplace, o teorema de Hardy-Weinberg ou a ondulatória? Em que momento, um engenheiro, físico ou torneiro-mecânico precisará diferenciar a literatura barroca do rococó? Ou ainda a enfermeira, como fará para viver sem ter consagrado o tempo que devia ao estudo da queda do Império Romano ou às particularidades do sistema feudal?

O leitor sempre poderá argumentar que todos esses conhecimentos são importantes para que se entenda o mundo em que vivemos e, portanto, para que nele possamos viver melhor.

Mas para Epicuro, deveríamos ir, digamos, mais diretamente, ao que nos acontece no mundo. Porque toda sabedoria deve se adequar à vida, à ética, e não o contrário. Afinal, pensamos para viver melhor, diz Epicuro. E não vivemos para pensar melhor, sugestão intelectualista socrática, apresentada por Platão e, em muitas épocas, dominante.

Epicuro denuncia essa inversão, consagrada por muitos. Defende, a tese contrária. Pensar, filosofar, é importante. Mas exclusivamente como meio para a vida. Para uma vida melhor. Porque permite viver melhor. E a vida feliz é o fim. O bem soberano. Aquilo que devemos e podemos alcançar. E que não pode ser meio para nada. Porque já é o máximo. Por isso, o estudo da filosofia moral, da felicidade, deve ser objeto prioritário da educação de qualquer um, a qualquer tempo. Independente de sua idade ou condição material.

Prazer e morte

Nessa busca pela felicidade na vida, o maior bem que podemos alcançar, muitos são os obstáculos. Para Epicuro, a felicidade é alcançável, mas não facilmente. Longe disso. Os idosos, por exemplo, esbarram em angústias que perturbam a tranquilidade de suas almas. Logo, comprometem seu bem-estar. A principal delas é a perspectiva da morte. O sofrimento que, acreditamos, possa ensejar a sua chegada. De novo, a preocupação será sempre atual. Afinal, não eram apenas os antigos que viam na finitude um temor a enfrentar.

Mas essa finitude inexorável também nos leva a refletir sobre a vida que resta. Obedecendo sempre à lógica do escoamento. Da ampulheta. Vamos morrer, mas ainda há vida por viver. Cabe-nos viver o tempo que resta da melhor maneira possível. Fôssemos eternos seria diferente. Mas, como não somos...

Na hora de cogitar sobre como gastar o tempo que resta, damo-nos conta de nossa pouca autonomia. Você dirá que deveria ser diferente. Mas não é. Como somos sociais – antes mesmo que você comece a esboçar alguma ideia sobre como viver – sua reflexão é atropelada por um turbilhão de propostas. Manifestações interessadas na sua adesão. Aparentemente pertinentes. Chanceladas por porta-vozes ou instituições legítimas, acima de qualquer suspeita.

Assim, dietas curtas e outras intermináveis; exercícios físicos para desocupados e para os que não têm tempo; remédios e cosméticos sempre de última geração, com a garantia de uma vida mais longa e saudável. Condomínios fechados, verdadeiros eldorados intramuros; a indústria da segurança privada, que não para de crescer, garante sobrevida, ante as agressões de homens tristes; novas seitas prometem melhores condições existenciais, respeitados os protocolos divinos, apresentados por privilegiados mediadores; instituições financeiras asseguram um futuro mais confortável; partidos políticos prometem investimentos públicos em saúde e segurança, reduzindo a probabilidade de um contratempo; receitas para vidas felizes, de sucesso, eficazes, de líderes, são apresentadas por gurus, ungidos em outro hemisfério; testemunhos de vidas bem-sucedidas, mesmo em condições adversas, são exibidos diariamente na televisão pelos que souberam viver a vida. Todos esses discursos fazem crer na boa gestão do tempo que falta. E vão, pouco a pouco, tornando-se referência para nós. Convertendo-se em óbvias, evidentes e naturais.

Mas, apesar de todas essas sugestões para melhor distrair a existência, são muitas as ocasiões que nos relembram de nossa condição.

Finita. Temporária. Daí toda nossa aflição. Nosso medo da morte. Que nos leva a invocar os deuses e outras entidades sobrenaturais. A atribuir-lhes a responsabilidade pelo nosso maior temor.

> Os deuses existem de fato e o conhecimento que deles se tem é evidente. Eles, porém, não são como a maioria os crê, pois não continuam coerentemente a considerá-los como os concebem. Ímpio não é quem nega os deuses como a maioria os quer, e sim aquele que atribui aos deuses as opiniões que deles tem a maioria. Com efeito, as opiniões da maioria sobre os deuses não são prolepses, mas opiniões enganosas. Os deuses, com efeito, entregues continuamente às suas virtudes, são queridos por todos os seus semelhantes, mas rejeitam como estranho tudo o que não é semelhante a eles (EPICURO. *Carta a Meneceu*).

A leitura do texto esclarece. Sendo os deuses perfeitos e imortais, é contraditório que se preocupem com fluxos e impermanências. Mais ainda, que façam o mal para alguém. Aquele que é perfeitamente bom não causa dor ou tristeza. Nem como punição.

Por isso, observa Epicuro, os homens identificam-se com os deuses e neles projetam todo o seu ódio, vingança, ciúme e maldade. Os que temem os deuses são hereges, ímpios, que causam mal a si mesmos e aos demais. Porque o homem é causa última de sua própria infelicidade.

Desta forma, não há do que responsabilizar os deuses. Nem mesmo do medo que temos de morrer. Não só porque, como indica o texto, os deuses não têm nada com isso. Porque não estão nem aí para a nossa finitude. Mas também porque a morte não deve nem pode ser temida. Temer a morte é temer algo que não existe para o homem. Impossibilitado de senti-la e conhecê-la. Experiência que escapa à condição humana.

– Como assim, a morte não existe para o homem?

Provavelmente o leitor deve estar achando que Epicuro e eu piramos. Porém, como diria este filósofo e Freud mais tarde, o que passa pela sua cabeça – quando você pensa na morte – é somente uma projeção de sua confusão mental. A loucura está em quem pensa um dia poder experimentá-la. Explicaremos.

Na física epicurista, herdeira de Leucipo e Demócrito, a realidade é constituída por átomos e vazio. E isto é tudo. Esse vazio permite aos átomos movimentarem-se. E, quando se movimentam, acabam se esbarrando. Chocando-se. Todas as manifestações no mundo são redutíveis a esse movimento dos átomos. É a partir desta física que podemos entender uma ética de Epicuro. Uma ética de oposição aos mitos.

Nesta perspectiva, o real – todo ele atômico – só existe para nós a partir de informações que nos proporcionam os cinco sentidos. O mundo é o que vejo, o que ouço, o que cheiro, o que sinto etc. É a experiência que define o mundo para mim. E se tudo é átomo em movimento, a percepção que tenho do mundo também não passa disso.

– Como assim? Quando uma árvore se encontra diante de mim, por que a vejo? Se os átomos que a constituem estão lá e os que me constituem aqui?

Querido leitor. Você entendeu tudo. No pensamento de Epicuro, é preciso que, de algum jeito, os átomos da árvore se choquem com os seus. Para que você a perceba. E essa experiência só é possível graças aos simulacros. São partículas atômicas, matéria fina, que se despregam do corpo observado e se chocam com os sentidos do observador. Assim, se neste instante estou vendo o computador é porque meus olhos estão sendo bombardeados de fragmentos desse computador. E se Cecília é cega é porque os simulacros do mundo não lhe atingem. O mesmo vale para qualquer outra coisa que possa ver, bem como ouvir e cheirar.

Eu sei que parece maluquice. Mas, saiba que, até o século XVII, acreditava-se nisso.

Imagine, caro leitor, uma mulher contemplando outra. A rivalidade aflora. Uma só vê na outra seus excessos. Gordura em demasia. Ora, de acordo com a teoria do simulacro de Epicuro, se é gordura que vê é porque partículas adiposas abandonam o corpo da mulher observada em direção aos olhos da observadora. Ninguém poderá negar aqui uma origem remota da lipoaspiração.

Galhofas à parte, nesta perspectiva científica que é a de Epicuro, todo real é percebido exclusivamente pelo próprio real. Nunca de fora, ou de cima. Na mais estrita imanência, para falar difícil. Assim, se há deuses, também são átomos em movimento. Estamos aqui bem longe das concepções de alma – eterna e imaterial – e de verdades absolutas do primeiro capítulo.

Se todo o conhecimento e sensação provêm dos sentidos então o mundo em que vivemos é o mundo que sentimos. Poderíamos perguntar: posso ter a sensação de estar no Polo Norte estando em Salvador da Bahia, em banca de doutorado na Universidade Federal? A menos que seja um psicótico bem avançado a resposta é não. É preciso que o corpo sinta para que uma experiência possa existir. Até aqui creio que o leitor de bom-senso concorde com Epicuro.

– Mas, de que corpo é esse de que tanto você fala?

O corpo, na perspectiva de Epicuro, é constituído de matéria, agenciada ou organizada de uma maneira determinada. Um agenciamento atômico. Que se redefine a cada instante. O que, de certa forma, implica morte a cada instante. Morte do agenciamento que nos constituía. E, assim, vamos deixando de ser, o tempo todo. Do agenciamento anterior, sobra a ilusão da permanência. De um eu que continua vivendo. E a ignorância do fluxo.

Quando morremos – a morte dos funerais – nada de drasticamente novo acontece. Porque o que já vinha deixando de ser durante a vida, deixa de ser de uma vez. Trata-se apenas de uma redefinição mais radical, de uma descontinuidade do agenciamento anterior. De uma dispersão de átomos na natureza. Onde nunca nada se perde. Porque a matéria permanece. Fica por aí. Em outros agenciamentos.

Bem, uma vez mortos – ainda que a matéria que nos constituía tenha nos traído na constituição de outros corpos – não podemos usar nossos sentidos. Não estamos mais vivos para sentir o mundo. Desaparece toda sensação.

Pois bem. Se todo prazer e dor provêm da sensação, o fim da vida não pode ser nem agradável, nem desagradável. Por isso, é tolice temer a morte. Como deixa claro o texto abaixo. É sofrer na espera de um evento que, para nós, nunca ocorrerá. Encontro impossível: porque se somos ainda, a morte não pode ser. E se a morte já for, não somos mais. Preocupar-se com a morte, portanto, é não viver a vida. É renunciar a felicidade em ato.

> Portanto, o mal que nos faz ter arrepios, ou seja, a morte, é nada para nós, a partir do momento que, quando vivemos, a morte não existe. E quando, ao contrário, existe a morte, nós não existimos mais. A morte, portanto, não se refere a nós, nem quando estamos vivos, nem quando estamos mortos, porque para os vivos ela não existe, e os mortos, ao contrário, não existem mais. Os outros, por sua vez, fogem por vezes da morte como do pior dos males; outras vezes a procuram como alívio das desgraças da vida. O sábio, ao invés, nem rejeita a vida, nem teme o não viver mais; com efeito, a vida não lhe é molesta, e ele também não crê que a morte seja um mal (EPICURO. *Carta a Meneceu*).

Porém, se alguns de meus queridos leitores veem e ouvem os mortos, atormentam-se com seus relatos, preocupam-se com seus paradeiros, é porque não aceitaram a radical descontinuidade do agenciamento atômico proposta por Epicuro para explicar a morte. Não concordam que a alma, como tudo, é só matéria. Matéria fina. Átomos em movimento. Com temperatura e textura própria. Insistem na imaterialidade da alma. Na sua imortalidade. Apegados ao dualismo corpo x alma. À herança platônica.

Neste caso, caro leitor, quando os que "já não mais são" continuam perturbando, recomendaria uma consulta com uma amiga, epicurista da gema, que faz da terapia farmacológica das mentes seu labor diário.

Bem, mas enquanto não morremos, cabe-nos ir vivendo. Releia a frase acima, querido leitor. Esta merece. Aproveitemos a insistência dos átomos em se organizar nisto que convencionamos chamar de nosso corpo. Para tanto, busquemos o que há de melhor nessa nossa particular organização atômica: o prazer.

Prazer e tipos de desejo

Epicuro nos garante que a felicidade é alcançável. Desejo e prazer estão por trás desta convicção. O filósofo sugere que trabalhemos nossos desejos. Porque são eles que estão na origem do nosso sofrimento. Trabalhar os desejos pressupõe teorizar sobre eles. Defini-los, categorizá-los, discernir seus atributos etc. Para que identifiquemos os que são dignos de satisfação.

> É por isso que nós dizemos que o prazer é o princípio e fim último da vida feliz. Nós sabemos que ele é o nosso bem primeiro e congênito; dele partimos em qualquer ação de escolha e de rejeição, e a ele nos reportamos ao julgarmos todo bem como base nas afeições assumidas como norma (EPICURO. *Carta a Meneceu*).

Para Epicuro, existem três tipos de desejo. Desejos naturais e necessários. Desejos naturais e não necessários. Desejos não naturais e não necessários. A felicidade possível tem a ver com o tipo de desejo que você, leitor, se dispuser a satisfazer.

O desejo será natural quando for comum aos animais. Observemos os desejos dos animais. Os que coincidirem com os nossos, serão naturais. Vejo um problema neste método. Se há certa clareza sobre o meu desejo, a mesma não tenho em relação ao desejo dos animais. Quando eu desejo, sinto uma inclinação do corpo acompanhada de algo que passa pela minha cabeça. Isso acontece por coalhada com nozes e mel. Não posso dizer o mesmo dos desejos de uma foca. Não sei o que deseja. Tudo que temos são suas manifestações. Aquelas que, apenas suponho, correspondam a desejos seus. Mas quem garante que uma foca não age por dever o tempo todo? Na contramão rigorosa de seus apetites?

O desejo será necessário quando – caso não satisfeito – nos leve à morte. Assim, de acordo com Epicuro, beber, comer e dormir são os desejos que atendem às condições de naturalidade e de necessidade. De fato, são comuns aos animais e, se não satisfeitos, determinam o fim da vida. Os atos de dormir, beber e comer satisfazem esses desejos.

– Beleza, diria o seu querido autor deste livro. Uma feijuca com farinha d'água – homenagem singela à terra de minha esposa, bastante paio, caipirinha com pouco gelo e de sobremesa o pudim da Ju. Um dia, caro leitor, terei a honra de convidá-lo. O pudim da Ju compensará qualquer frustração que essa leitura esteja ensejando.

Aqui, deixemos claro. Epicuro jamais aceitaria qualquer uma dessas iguarias. Fugiria do nosso cardápio. Porque é outra a sua dietética dos prazeres. Porque a satisfação desses desejos deve ser realizada da forma mais singela possível. Para a fome, um pedaço de pão. Para a sede, água. E pouco mais. Começa a ficar claro, o quanto as imputações atribuídas ao filósofo de Samos não correspondiam ao seu pensamento. Afinal, para quem defendia uma vida com tamanha austeridade, nada mais contraditório do que ser tachado de glutão e beberrão.

Os desejos naturais e não necessários decorrem do já explicado. São comuns aos animais, mas não levam à morte do desejante quando não satisfeitos. E o leitor, aqui, acerta na mosca: sexo. Não há dúvida. Desejamos sexo. E os saguis também. Mas, segundo Epicuro, não morremos na sua abstinência. Assim também garantem todos aqueles que por convicções diversas – ou mesmo por falta de apetite – aboliram as práticas sexuais de suas vidas.

Austero Epicuro: os desejos naturais – mas não necessários –, melhor evitar sua satisfação. Já seu discípulo Lucrécio, autor de *A Natureza das coisas* – mais uma obra que recomendamos com o carinho que o relacionamento desta leitura está despertando – era bem mais tolerante com a cópula. Diria, mesmo, um incentivador. Sem dó nem piedade. Desde que consumada com mulheres pelas quais não houvesse o menor risco de amor-paixão.

Além do sexo, são exemplos de desejos naturais – mas não necessários – a gula, excesso de sono e a embriaguez. Neste ponto a teoria hedonista de Epicuro se diferencia das concepções moderna e pós-moderna de hedonismo. De acordo com a primeira, a moderação é fundamental para uma vida sadia. Os excessos face aos desejos naturais e necessários de comer, beber e dormir, resultam de um descontrole do corpo e do espírito frente às paixões. Denunciam uma potencial tristeza.

Quanto aos desejos não naturais e não necessários, satisfazê--los, nem pensar. São exclusivos do homem e, se não satisfeitos, não levam a morte. Isto porque, tudo aquilo que não é natural não deve ser considerado como essencial. Não faz parte do projeto original da natureza e por isso mesmo não nos faz feliz.

Entre estes, exemplifica Epicuro, a glória, o sucesso, o luxo, a riqueza e a preocupação com a beleza. Todos estes desejos, se realizados, nada agregam ao bem-estar, não prolongam a vida e não trazem tranquilidade para o corpo e para a alma. Por isso não são desejos bons. Para sermos felizes não devemos buscar sua realização. Nada que não seja essencial para viver serve para a felicidade.

Nossa sociedade nos propõe o consumo de muitas coisas. Por intermédio deste consumo, uma nova identidade e posição. Quase todas são artificiais e, portanto, não necessárias. E, assim, teremos mais posses, mais coisas de que nos vangloriar, mas continuaremos tristes. Ou você realmente acha que sua vida será mais feliz com um novo celular? E outro, agora, com mais recursos? E outro, mais, que fala por você quando você não está a fim... E se nem assim, a felicidade aparecer, você compra um computador de última geração para conversar com o celular. E outro...

Depois desta classificação dos desejos, fica fácil atribuir sentido à definição de prazer proposta por Epicuro: satisfação de desejos naturais e necessários. A fome, a sede, o sono são exemplos de necessidades essências para manutenção da existência. Quando são saciados, há uma agradável sensação de prazer. Percebemos isso na abstinência prolongada. Quando estamos há muito tempo sem satisfazê-los. Existe sensação mais prazerosa do que tomar um copo de água bem gelado após ficar quatro horas em pé em um ônibus? Ou comer comida após vários dias de internação hospitalar, em dieta rigorosa, esperando um transplante de baço? Não creio. É aqui que o corpo se converte num palco para um imenso gozo.

Só a busca do prazer – que pressupõe a satisfação dos desejos naturais e necessários com comedimento – permite a realização da felicidade. Porque a busca da satisfação de outros tipos de desejo e exageros são perturbadores. Tanto no sucesso quanto no fracasso.

Ora, caro leitor. Mais um capítulo chega ao seu fim. Aqui, a vida que vale a pena ser vivida é de prazer. Mas não qualquer. É preciso que decorra da satisfação de um desejo natural e necessário. E com comedimento. Você dirá que não concorda. De jeito nenhum. Que não vê graça nenhuma em passar a pão e água. De fato, não é muito fácil achar legal tanta singeleza. O problema é que nossos corpos já estão acostumados a prazeres sofisticados. Molhos ricos e condimentados em iguarias requintadas. Drinques elaboradíssimos e cheios de efeitos. Sonos em travesseiros com penas de ganso. Que fazem o epicurismo parecer um suplício.

Fica claro que os desejos do nosso corpo de hoje decorrem de nossa vida no mundo social em que vivemos. Do qual participamos. Que as rotinas vividas em sociedade, de onde absorvemos nossos hábitos, convertem-se em nossa segunda pele. Vão se fazendo corpo. Definindo e redefinindo ininterruptamente nossas inclinações. E tudo isso nos afasta oceanicamente dos tais desejos naturais e necessários de Epicuro. Desta forma, tomar como referência para a vida que vale a pena ser vivida apenas desejos comuns aos animais e necessários para não morrer está muito distante do que você esperava deste livro.

4
Vida tranquila

Fugimos das preocupações. Das inquietações. Do que nos perturba. De mundos que nos desestabilizam. Os problemas das grandes cidades são, cada vez mais, argumentos para a definição de uma vida boa. Longe dali. Em bairros afastados. Cidades do interior. Praias desertas. Choupanas no meio do mato.

As relações familiares também são valoradas em função dos aborrecimentos que uns trazem aos outros.

– Vou aproveitar que todo mundo saiu para ter um pouco de paz dentro de casa. Disse a mãe de família à vizinha pelo telefone.

Um namoro também pode ser julgado bom por ser tranquilo. Afinal, ninguém aguenta conflito por muito tempo. Ciúme exagerado de uma das partes pode tornar a relação um inferno. Tenho um amigo que levou a ex-mulher para assistir a um curso meu, de duas aulas sobre o amor. Esta senhora, no intervalo, veio me abordar. Pela primeira vez. Sem nunca ter me dirigido a palavra antes. E sentenciou sem galhofa:

– É você que leva o rapaz aqui para o mau caminho com as coisas que ensina para ele? Esse negócio de afetos transitórios, fugazes, isso tudo é uma grande palhaçada!

Imediatamente deduzi porque se tratava de sua ex.

Da mesma forma, no trabalho, o domínio tranquilo das tarefas a realizar, o controle das variáveis que possam afetar seu cumprimento, a baixa rotatividade dos funcionários, a confiança nos critérios do chefe são atributos de um bom emprego. Porque a falta de tranquilidade no mundo profissional acaba atrapalhando todos os outros setores da vida.

Na escola eu tinha um amigo. Colega de classe no ginásio e colegial, como se dizia na época. Era o rico da turma. Seu pai vendia carros. Sempre repetia dois ensinamentos paternos: o primeiro era jamais fazer negócio com um homem de bunda grande. Nunca me dediquei a aferir a pertinência; o segundo era dispor sempre de um milhão de dólares na conta. Sem isso, a vida tranquila seria impossível. Se deixarmos de lado o milhão e a bunda grande, resta a preocupação com a tranquilidade, sempre muito presente no discurso do senso comum sobre a vida.

E a pergunta aqui é: em que momento essa vida tranquila se torna objeto de reflexão filosófica?

No capítulo anterior falamos das ideias de Epicuro. Dos prazeres da vida. Daqueles que são indispensáveis para uma vida boa. Das difamações de que foi vítima. Estratégia de poderosos adversários. Contendores de uma disputa eterna. Pela definição legítima da vida boa. Legítima porque aceita, reconhecida, entendida por certa. Luta pelo direito de falar sobre a vida e de ser ouvido.

Porque definir as condições da felicidade sempre foi um precioso troféu. Disputado pela mitologia, pelas religiões, por agentes destacados do senso comum, pela ciência, pela psicanálise, pela autoajuda, pelas telenovelas, por tantos outros e, por que não, pela filosofia. Por filósofos, para ser mais preciso. Assim, esse livro que você está lendo, também participa desta luta. Da qual Epicuro foi notável protagonista.

Como costuma acontecer em espaços de disputa por troféus preciosos, muitos são os contendores. Assim, a escola epicurista não era a única na época a refletir sobre o tema. Muitos, reivindicando para si a alcunha de filósofos, tinham a pretensão de apontar as melhores condições para o bem viver. Com reflexões parcial ou frontalmente discordantes do paradigma do prazer.

Desta forma, poderíamos identificar um campo social de agentes filosóficos em enfrentamento pelo direito de falar sobre a felicidade. Como em todo espaço de jogo, concordavam sobre muita coisa: condições de ingresso, regras, valor dos troféus e, no caso específico, por detrás das divergências entre as escolas, compartilhavam um jeito propriamente filosófico de pensar e abordar as temáticas. Campo constituído por dominantes, dominados e pretendentes, candidatos a entrar no jogo. Assim, desse campo filosófico, participavam os seguidores de Platão, os discípulos de Aristóteles, os epicuristas e, em meio a muitos outros, os estoicos. São eles que vão conferir à vida tranquila um estatuto filosófico. Por isso, vão merecer nossa atenção nas próximas páginas.

Quando se fala em estoicismo, alguns lembretes históricos contribuem para a digestão das ideias: os primeiros estoicos eram gregos, os últimos eram romanos. Por isso, o estoicismo figura tanto como escola filosófica grega quanto como romana. Alguns dividem o estoicismo grego em dois momentos. Mas isso vai complicar nossa vida. Assim, destacamos entre os mais antigos os gregos Zenão, Cleanto e Crisipo. E, entre os mais recentes, e seguramente muito mais conhecidos, os romanos Sêneca, Epicteto e Marco Aurélio.

Politicamente, os estoicos gregos eram marginais e dominados. Já os romanos se aproximaram do poder. E passaram a exercê-lo como nunca antes um filósofo tinha logrado em tal magnitude. Como Marco Aurélio, simplesmente imperador.

Zenão, reconhecido como pai fundador do estoicismo grego, nascido em 333 a.C., na ilha de Chipre, era imigrante. Não tinha cidadania ateniense. Por isso não podia adquirir imóveis. Assim, para dar aulas, teve que se contentar com um pórtico, em grego *stoá*, espécie de porta de entrada da cidade, ao ar livre. Desta palavra grega, deriva estoico. Aquele que se encontra na porta. Que pode ser tanto de entrada como de saída. Espaço que denuncia a marginalidade do pensamento estoico neste momento.

– Mas, o que dizia Zenão sobre a vida, na entrada da cidade? Pergunta o leitor, tentando animar um pouco essa enfadonha sociologia da produção filosófica.

Bem, identificamos no estoicismo muitas semelhanças com o pensamento de Epicuro. Negação de toda explicação transcendente do mundo. E isto é o que mais aproxima as duas escolas adversárias. Redução do mundo ao observável. Ênfase à reflexão e ao ensino da ética, denominada por eles de arte de viver. E a felicidade, como escopo da vida.

Porém, duas questões fundamentais distinguiam o estoicismo do epicurismo: em primeiro lugar, a refutação do atomismo. Esta distancia-se de nossa temática.

A segunda nos interessa mais de perto: a redução epicurista da felicidade e da vida boa ao prazer. Isto é, o fato de nada haver na vida feliz para além do prazer. Aqui leitor, espero que ainda lembre da tese central do epicurismo: o prazer é a condição da vida boa. E este prazer que corresponde à vida boa não é qualquer prazer. Mas apenas aqueles que requerem a satisfação de desejos naturais e necessários.

> Os bens exteriores são procurados pelo corpo; cuidamos do corpo em consideração à alma; na alma, há partes submetidas, graças às quais nos podemos mover e comer, e que nos foram dadas para servir essa parte principal. [...] Se concordamos nesse ponto, teremos também de fazer o mesmo com este: a felicidade, para nós, só consiste numa razão perfeita (SÊNECA. *Carta XCII a Lucílio*).

O pensamento estoico sugere postura mais defensiva. Uma razão protetora contra as agressões. Porque, segundo sua perspectiva, estaria presente – em tudo que vive – uma tendência da conservação de si. De apropriação do próprio ser e de tudo no mundo que pode ajudar a conservá-lo. Bem como a tendência de evitar tudo que lhe for contrário.

Tranquilidade e conformidade

Assim, segundo os estoicos, para cada ser que vive, existem, no mundo, coisas conformes à sua essência. Mas nem tudo é assim. Outras coisas são desarmônicas, contrárias a essa essência. Desta forma, cada vivente tende a se aproximar e se relacionar com tudo que lhe é conforme. E se distanciar de tudo que se opõe. E nós, também viventes, não fugimos à regra.

E o leitor levanta a mão.

– Vamos ver se entendi. Cada corpo que vive tem uma essência tal que se entende bem com alguns corpos e mal com outros? É isso? E como somos corpos diferentes, as coisas com as quais nos damos bem podem causar dano a outros?

Brilhante, companheiro

– É o que digo para minha mulher. Ela gosta de coisas que não me agradam. Como a mãe dela, por exemplo. Afinal, o que desce redondo para uns, atrita em outros. Esfola. Da mesma forma, ela odeia os programas futebolísticos de domingo à noite. Problema já resolvido pelos estoicos. É o que esclarecerei no próximo desentendimento.

Aqui já podemos fazer uma primeira inferência que nos interessa: a nossa vida boa vai depender das condições de aproximação de tudo que se harmoniza conosco e de distanciamento de tudo que se opõe a nós. O leitor já deve ter percebido, a partir de suas experiências, que tanto um quanto o outro não são sempre muito fáceis.

Primeiro, nem sempre é fácil manter por perto o que nos protege. Por escassez. Pelo interesse concorrente de outros. Pela distância. Que nem sempre é só geográfica. Mas também econômica e social.

Da mesma forma, também não é sempre fácil afastar-nos do que nos agride. Porque pode aparecer de sopetão, como um poste quando estamos dirigindo. Ou um conhecido chato, que mora no bairro. Porque sua presença pode se impor, como a de um chefe num emprego do qual não é conveniente abrir mão. Ou a de um familiar próximo. Cuja existência não vale o esforço necessário para sua eliminação.

E o leitor perdeu de vez a timidez:

— Um gorila, assim como nós, também tende a se aproximar de tudo que lhe é conforme? E uma samambaia?

Sim, diriam os estoicos. Tanto um quanto o outro. Tendência de todo vivente, insisto. Só que, segundo eles, o gorila o faz por instinto. Enquanto que a samambaia, e as plantas em geral, nem isso. Aproximam-se e pronto. Na mais absoluta inconsciência.

— Mas como poderiam, esses estoicos, ter tanta certeza de que a samambaia, ou a pera, não tem consciência de suas tendências? Quem pode assegurar que um quiabo não passa todo seu tempo pensando em tudo que lhe acontece? Em como aproximar-se do limão, com quem tão bem se entende?

Querido leitor, você me enche de orgulho. Esta pergunta é digna de quem já está entrando no espírito, como dizem. Se criaturas invejosas insinuarem que você está enlouquecendo, não se deixe abater. É puro despeito.

Eu só concordaria ainda mais, se você não aceitasse tão fácil essa harmonia entre o quiabo e o limão. Acho que isso é coisa do homem. Para sua conveniência. Costuma encher de limão tudo que tem gosto ruim. Ruim para ele, claro. É óbvio que não podemos ter certeza sobre as quimeras de um quiabo. Acho mesmo que se ele baba tanto, é porque fica pensando em encontros que a intervenção culinária humana o impede de ter. Constrangido que é a se fazer acompanhar de um frango qualquer, com tantas rodelas de lula por aí, dando sopa.

Acho que precisaríamos ser uma samambaia, uma pera ou um quiabo para ter essas certezas. De qualquer forma, tanto para os estoicos, quanto, suponho, para a maioria, só o homem tem alguma consciência das inclinações que são as suas.

A vida feliz, portanto, deve ser uma vida harmonizada com o resto da natureza. Harmonia que, como acabamos de ver, não significa proximidade de tudo ou relação com tudo. Mas apenas com aquilo que conserva e ativa. Harmonia que pressupõe distância de tudo que enfraquece. Por isso, o bem vai sempre depender desta particular conservação. Uma coisa boa, para uns, poderá ser má para outros.

Caberá a cada homem na sua particularidade identificar essas coisas e assegurar as condições de conciliação e de afastamento. Observe, caro leitor, que nessa nova perspectiva, prazer e dor não são prioritários. São consequências de uma vida que já encontrou o que lhe é fundamental, o que a conserva e realiza.

– Mas, na vida do dia a dia, esta que vivemos no mundo, como posso saber o que me conserva e o que me aniquila? Pergunta o leitor, farto de rodeios.

Todos os homens, contam, segundo os estoicos, com um instinto primeiro. Como todo instinto, é pré-racional. Este nos permite avaliar as coisas do mundo como benévolas ou malévolas. O bem é, portanto, vantajoso e útil e o mal, o nocivo. Mas esse instinto, o gorila também tem. Deve haver algo mais...

Tranquilidade e razão: o *logos* divino

De fato, esse primeiro instinto não é, na perspectiva estoica, o que nos discrimina. Isto porque os animais em geral também contam com ele para operar a mesma identificação. Assim, galinhas procuram pequenos animais no jardim, mas tendem a se afastar de lobos. Por instinto. O traço específico do homem é a razão. Desta forma, para os estoicos, uma fronteira separa o homem do resto dos seres estritamente instintivos: sua natureza racional.

– Nada disso me convence. Os animais também são singulares entre si. Uns nadam, outros voam, outros não emitem sons, outros pulam, e assim por diante. Essa categorização de todos eles como não racionais ou instintivos me parece simplista e abusada. Centrada no entendimento que o homem tem dele mesmo. Além do mais, há um monte de coisas que só o homem faz. Como deslocar-se em veículos japoneses, comer moluscos no prato, fumar charutos, empinar pipas e tomar banho em banheiras com hidromassagem.

O leitor está impossível. Mas acho que, quando os estoicos nos discriminam dos demais viventes pela racionalidade, é porque acreditam que o uso da razão está por trás de todas as particularidades que você destacou. Por isso, estão mesmo convencidos de que, de um lado estão os homens e, de outro, o resto dos viventes que não fumam charuto e ignoram as delícias da hidromassagem. Como Cecília, a cobra cega. Privada do prazer de empinar pipas, por falta de axilas. Tudo que vale para uns, não vale necessariamente para os outros. Esta especificidade é entendida como um privilégio. Porque no homem se manifesta o *logos* divino.

– *Logos* divino? Pergunta o leitor já irritado com a prepotência dos estoicos. Mas *logos* não era razão, entendimento e discurso? O que exatamente quer dizer um *logos* divino? O Deus dos estoicos também pensa? Ou fala?

Tranquilidade e Deus

Querido leitor. Cada vez mais sagaz. Acompanhe-me agora, porque o momento é nobre. O Deus dos estoicos não é, como muitos poderiam supor, um Deus transcendente que, de fora, teria criado o universo. Nada lhes seria mais estranho. O Deus aqui é inseparável da matéria. Encontra-se, portanto, em tudo. É tudo. O ser de Deus é o ser do mundo. É o próprio universo. Imanente ao universo. Não seu criador.

Ora, esse universo, que é Deus, é lógico. Portanto, existe um *logos* divino. Uma lógica, ou compreensibilidade, das coisas divinas. Que se manifesta no homem. Porque só a ele é dada a faculdade de compreender esse divino da ordem universal. Daí seu estatuto privilegiado. Afinal, uma zebra não pode entender por que as coisas são como são. Por que ela mesma intercala listas negras e brancas. Por que Deus é como é. E por que Cecília é cega e sem axilas.

— E o leitor faz a pergunta que não quer calar: mas por que chamar o universo do qual fazemos parte de Deus? Por que não chamar de outra coisa? Esse uso da palavra confunde tudo.

A resposta é simples. Os estoicos achavam o universo maravilhoso. Contemplavam e constatavam uma adequação perfeita na relação entre suas partes. E reconheciam que toda essa maravilha, não foi ele que fez. Existe uma maravilhosa adequação que não se deve a ele. Passou a chamá-la de Deus.

— Quer dizer que Deus aqui é a própria maravilha do mundo. Não seu criador?

Exatamente. Esclarecido esse divino dos estoicos, bem como a manifestação do seu *logos* em nós, voltemos ao homem. Esse homem estoico é constituído de corpo e alma. E essa alma vai merecer também um esclarecimento à parte. A mesma homenagem que acabamos de prestar ao divino.

Tranquilidade e alma

Para os estoicos, tanto o homem quanto o próprio universo cósmico são dotados de alma.

– Como assim, pergunta você, o universo dotado de alma? Em que pode consistir a alma do universo?

Caro leitor. Não se precipite. O que os estoicos chamavam de alma difere muito do nosso entendimento mais trivial – perspectiva platônica e cristã. Achavam que tudo é como é porque resulta da ação de uma força racional, conferindo forma ao que antes era substrato indefinido.

Essa força racional da própria natureza corresponderia a um fogo que penetraria toda a realidade, aquecendo e ensejando vida. Assim, uma girafa está viva porque seu fogo a anima. Alma de girafa. Um balantídio está vivo porque um fogo o anima. Alma de balantídio. Cecília também tem a sua alma. De cobra cega. E esse fogo conferiria a todos os viventes suas formas. O que compreende o homem. A alma que o constitui é matéria, é corpo, é fogo. Fogo que lhe proporciona a vida.

Ora, essa alma que permeia o organismo humano é responsável por todas as suas funções essenciais. De acordo com este entendimento, caro leitor, para a vida valer a pena, a alma não pode mesmo ser pequena. Oito são suas partes. Cada uma delas com várias funções. A parte central, ou hegemônica, arca com a razão. Como a parte superior da alma de Platão. Só que essa era imaterial e eterna. Não era fogo. Essa parte racional da alma estoica permite ao homem perceber, concordar, apetecer e raciocinar. As outras partes têm a ver com os sentidos e com a geração. Não discriminam o homem.

Caro leitor, observe que curioso. Para os estoicos a alma é corpórea. Constituída de fogo. E que este fogo tem uma parte central, responsável pela razão, pela percepção, pela concordância ou discordância, pelo raciocínio. Não sei se concordará comigo, mas jamais passaria pela minha cabeça associar fogo a pensamento.

Quando dizemos que alguém tem fogo em algum lugar, não é em atividade intelectual que se pensa. Porque associamos fogo a corpo, a paixão, a desejo, a sexo, a raiva. Tudo que costuma ser entendido como distante da reflexão. Associar fogo a pensamento é como dizer-se muito macho e, ao mesmo tempo, bater com força a mão espalmada na nuca... Estranhos estoicos. Não é à toa que filosofem sobre a tranquilidade. E considerem o prazer um aspecto secundário da vida.

Com efeito. Esse privilégio humano – manifestação do *logos* divino – exige, segundo os estoicos, uma reflexão sobre a vida boa que não se confunda com a do resto dos viventes. Isto porque as coisas que se harmonizam com animais – estritamente instintivos – não se harmonizam necessariamente com o homem, essencialmente racional. Portanto, a vida boa de um ente de razão não se identifica com a vida boa de outros viventes.

Tranquilidade e estoicismo romano

Se o estoicismo nasceu entre os gregos, foram os estoicos romanos que nos deixaram o legado mais significativo de seus pensamentos. Os textos de Zenão, por exemplo, desapareceram. Também foi em Roma que o estoicismo contou com um número maior de adeptos. Suas ideias tornaram-se populares e dominantes. Neste momento, as reflexões estoicas concentram-se em torno da ética e da vida boa. Da arte de viver. Esta última, como resultado de uma imersão em si mesmo. Em busca de uma perfeição pessoal. Menos importantes tornam-se as investigações sobre a natureza.

Dentre os estoicos romanos, destacou-se Sêneca. Nascido em Córdoba, atual Espanha, – mas na época Império Romano – no ano de 1d.C., Sêneca figura entre os maiores filósofos romanos. Foi um senador de destaque. Seu prestígio e reconhecimento o levaram a ser preceptor de Nero, futuro imperador. Sim, ele mesmo, o incendiário.

O preceptor é uma espécie de *personal*. Professor particular. Formação individualizada. De um lado, teórica. Sobre como o mundo funciona. Informações sobre o terreno do jogo. De outro, prática. Sobre como devemos existir no mundo. Sobre as regras do jogo. Tudo isso ficava a cargo do preceptor. Quanta responsabilidade. Bem, no caso de Nero você sabe o final da história. Veja o que acontece quando se confia a um filósofo a formação de um infante. Sempre se poderá dizer que uma ocorrência não autoriza generalizações.

Sêneca era estoico. Tinha suas convicções filosóficas sobre a vida. Mas, na hora de viver, bem, aí, aparentemente, a coisa foi diferente. Sua vida faz lembrar conhecido governante, ao recomendar que esquecessem o que tinha dito. Sêneca condenava as honrarias, a glória e a ostentação. Mas tinha estatuto de ministro. Era figura badalada na corte.

Condenava o apego ao poder. Mas mandou matar Britânico, irmão de Nero, que tentou fraudar o processo sucessório. Enquanto pensador, condenava a riqueza. Mas consta que era milionário. E, insistia que devemos suportar com dignidade todo sofrimento. Mas quando exilado na Córsega, escreveu carta ao imperador, clamando por pronto repatriamento. Exemplos de um distanciamento entre o discurso e a prática. Que, no senso comum, chamamos de cinismo.

Nada que não encontremos também em nossas vidas. Mas é sempre mais fácil pisarmos na bola quando ninguém está nem aí para o que dizemos e menos ainda para o que fazemos. Não era o caso de Sêneca. Uma vedete intelectual da época.

Tranquilidade e razão

A razão é o recurso dado pela natureza ao homem para analisar e evitar a tristeza. Ela ajuda a identificar o que nos cai bem e o que nos faz mal. É peça-chave na busca de um pouco de tranquilidade. Ela protege nossa vida contra as agressões do real. Sendo a vida potencialmente ruim, temos inicialmente que nos proteger. E só subsidiariamente buscar algum prazer. Se possível.

Esta razão deve nos levar, quando usada adequadamente, à *ataraxia*. Termo frequentemente traduzido por impassibilidade ou tranquilidade. Esta *ataraxia* depende de equilíbrio, tanto do corpo quanto da alma. Quando um deles ou ambos é perturbado sobrevém a tristeza. Entendida por Sêneca como uma doença. Perspectiva que conta com adeptos até hoje. Mil e oitocentos anos depois, o médico e psicanalista Donald W. Winnicott define as patologias corporais e psíquicas de modo muito similar. Para ele, sempre teremos problemas paralelos no corpo e na psique, tosses e tristezas, resfriados e lutos. Tudo que impede viver a vida e vale a pena é sintoma de doença somática e psíquica.

Sêneca é um estoico romano. Diverge do estoicismo grego em muitas questões. Propõe que as coisas não estão dispostas segundo uma ordem imanente. Quando tiramos algo do seu lugar, esta coisa poderá não voltar, por si só, à sua posição natural. Como observa o próprio pensador, os objetos lançados a esmo com frequência se desordenam e colidem bruscamente.

Tranquilidade e divina providência

Para que os velozes astros do universo não se colidam, e para que os fenômenos naturais não se descontrolem, é preciso que uma força divina garanta o fluxo ordenado do cosmos. Cada coisa tem seu lugar no cosmos porque os deuses assim quiseram. Um peixe pode morrer se deixado fora da água. Ele, por si mesmo, não se recompõe com a ordem natural de seu cosmos. É preciso uma força inteligente, humana ou divina, para colocá-lo de volta no seu devido lugar. É neste ponto que podemos vislumbrar a *divina providência*. Para restabelecer o que por si só não ocorreria.

Providência que rege também a existência humana. Assim, os deuses não só prevêm para o homem um lugar que lhe é natural, como também lhe atribuem um destino. Cada um de nós possui uma missão que deve ser cumprida. *Maktub* para os muçulmanos.

Nosso destino, muitas vezes, escapa à nossa percepção e ao nosso entendimento. Sobretudo quando não consideramos o universo como um todo. E esquecemos nossa condição de parte desse todo. Alguns precisam ser reis, outros sacerdotes; alguns descobrem novas terras, desbravam novos mundos, e outros vivem para alimentar aventureiros. Uns viveram para servir de exemplo para outros. E esses, para seguir-lhes o exemplo. Há quem viva para contar estas histórias e ensinar as novas gerações. E outros para não entender nada das histórias contadas. Alguns descobrem em vida o porquê de suas existências. Outros pensam que descobrem, e outros ainda nunca saberão. Pois o efeito de suas obras só se fará notar em gerações futuras.

> Por que ocorrem tantos reveses aos homens de bem? Nada de mal pode atingir o homem bom: os contrários não se misturam.
>
> Da mesma maneira que tantos rios, tantas chuvas que despencam do céu, tanta abundância das fontes de águas medicinais não mudam o sabor do mar, nem mesmo o suavizam, o ataque de calamidades não faz recuar o espírito do homem valoroso: ele permanece imutável e, haja o que houver, molda-o ao seu próprio feito; é, de fato, mais poderoso do que tudo o que está à sua volta. Não estou querendo dizer que ele não sente os ataques externos, mas que os derrota e, ademais, põe-se a enfrentá-los com calma e tranquilidade. Ele considera todas as adversidades como exercícios (SÊNECA. *Sobre a divina providência*).

Sendo responsáveis pela vida humana, os deuses nos guiam por bons caminhos, mas também nos colocam em muitas dificuldades. Não estamos livres da morte de um ente querido, da destruição de um patrimônio valioso, ou mesmo da perda do emprego. O mundo é cheio de surpresas, sendo algumas delas bem desagradáveis. Porém, insiste Sêneca, o homem bom, virtuoso, encontra-se sempre preparado para todas as dores que na vida possa experimentar.

Não é outra a ideia de sábio, para os estoicos. Não se trata de alguém que sabe tudo sobre o mundo, como se poderia pensar. O sábio sabe viver. Sua especialidade é a vida. Quanto ao mundo, sabe que as coisas são como são. E as aceita assim.

Desta forma, se o leitor encontrar um desses sábios e lhe der a notícia de que sua casa inundou, que o teto desabou, que seus filhos pereceram e que sua mulher evadiu-se com o primeiro bombeiro, ele nada sofrerá. Ou melhor. Sofrerá. Mas não o suficiente para comprometer a vida. Afinal, ele já sabia que isso é assim mesmo.

Acredito que muitos leitores já tenham vivido situações bem difíceis. Uma crise econômica, por exemplo, que arrasa as finanças da família. Uma doença grave, que nos coloca entre a vida e a morte. Uma paixão perturbadora que fragiliza os laços familiares. A ação lesiva de um sedutor perverso, em quem confiávamos. A estratégia ardilosa de um colega de trabalho que, fingindo companheirismo, conspira para tomar seu lugar. Exemplos encontrados em abundância na literatura filosófica, religiosa e psicanalítica.

Sêneca nos adverte que o mal-estar que sentimos em qualquer destas situações, decorre da insatisfação com nós mesmos.

– Deixa eu ver se entendi. Só tomo chinelada e o problema ainda é comigo?

Entendeu perfeitamente. Se o teto desabou por causa da enchente, só há neste relato um erro a lamentar. A crença de que isso não fosse acontecer. Portanto, pare de culpar o mundo. Assuma sua parte da tristeza. Porque o mundo, esse, é o que é. E, por mais que você faça, ainda será mais fácil corrigir-se do que adequá-lo a você. Porque se todo infortúnio depende de você e do mundo, por que não começar pelo que está mais na mão?

E mesmo que tenhamos tido as condições, o empenho e o êxito de transformar o mundo ao nosso feitio, não nos livramos muito fácil de quem somos, do que sentimos e das coisas que teimam em nos vir à cabeça. Por isso, seja por você ou pelo mundo, todo projeto de mudança drástica, de revolução existencial, tenderá ao fracasso.

Por isso, por mais que você se case com a melhor pessoa do mundo ou permaneça solteiro, resida isolado com vista para o oceano ou no centro de uma metrópole, ou cada hora num lugar, trabalhe na muvuca das finanças, como instrutor de surfe ou não faça nada, herdeiro que é, você poderá sentir-se só, perseguido, derrotado, com um vazio existencial ávido de completitude.

Tranquilidade e ira

Eis, para Sêneca, a tristeza como sintoma de uma vida fracassada. Inconformada com sua situação. Existência não reconciliada com o real. E toda essa desgraça se funda num único mal: a esperança. Sentimento que nos remete a um mundo desejado e que nos afasta da realidade. Mal-estar resultante do contraste entre a vida que gostaríamos de viver com a vida que vivemos. Frustração de viver uma vida que não se sonhou. Eis, para os estoicos, a causa de sentimentos como a ira. A cólera.

Os males de uma vida esperançosa se verificam em cada recôndito do cotidiano. Ficam nítidos, por exemplo, nas compras feitas em um supermercado mais caro e elitizado da cidade ou em outro, mais periférico, e de frequência menos pomposa. No primeiro, os clientes raivosos reclamam que todos os dez caixas estão ocupados, com fila média de três pessoas por caixa. No outro, mais simples, há quatro caixas funcionando com dez pessoas em média por fila. E ninguém reclama. A tranquilidade reina.

Qual o motivo da ira por parte dos clientes do primeiro supermercado? No entender de Sêneca, a resposta é simples. Os clientes ricos, por pagarem mais caro, fantasiam que o supermercado deve funcionar como eles desejam. Estão pagando caro para que o mundo satisfaça suas necessidades prontamente. Não cogitam a hipótese de se frustrar. E quando seus desejos são frustrados, explodem. Em contrapartida, os clientes do segundo supermercado já estão acostumados com fila. Principalmente quando o quilo do coxão mole está em promoção. Eles não tinham nenhuma expectativa de serem atendidos prontamente. Por isso mesmo não se frustraram. Aproveitaram o tempo de espera no caixa para conversar sobre suas vidas com desconhecidos. E, desta forma, fizeram a terapia do dia.

> Pois, sobremaneira nos afetam tudo o que vai contra nossa esperança e expectativa do que ocorre, e não há outra razão para que a mais íntima das minúcias nos ofenda, e nem das injúrias clamadas por nossos inimigos. Mas como pode, perguntas, as ofensas de nossos inimigos nos afetarem? – Porque não as esperamos, ou ao menos não tão grandes. Não esperar por isso provém de um excessivo amor-próprio: pensamos ser invioláveis para nossos inimigos, pois cada um é para si como um rei, de sorte que nos revoltamos quando nos impõem uma ofensa, ou quando não fazemos o que queremos (SÊNECA. *Da ira*).

Mas se a expectativa é a causa da insatisfação e da ira poderíamos evitá-la e viver sem esse doloroso engenho dos afetos? Sim e não. A alternativa filosófica de Sêneca é adotar uma postura um pouco mais pessimista em relação à vida. Analisar a própria existência para se reconciliar com a realidade. Pensar sobre os desejos e suas condições de realização. Aceitar a frustração como condição da existência. Ter em mente que o mundo nunca será como nós queremos. Viver a vida como ela se apresenta. Com seus altos e baixos. Desejando o mínimo possível. Evitando assim esperanças, iras e angústias.

Na visão estoica só começaremos a ser felizes quando aceitarmos que o mundo não gira ao nosso redor. Que as pessoas não foram feitas pelos deuses para atenderem nossas carências. Por isso, a tranquilidade, condição da vida boa, pressupõe a desesperança. A conciliação com a realidade.

Por fim, Sêneca faz uma advertência. Para ele a felicidade, a busca da tranquilidade da alma e do corpo, é um dever moral. Isso mesmo leitor, você tem o dever de ser feliz. E, para isso, o dever de reconciliar-se com o mundo. Lamentando menos, esperando menos e amando mais. Amor pelo que é. Amor pelo que se harmoniza imediatamente conosco e pelo que ainda não cai bem. No amor, vivemos melhor.

Pensamos menos em mundos que não são. Mundos delirados. Mundos que só na nossa cabeça deveriam ser. Estar no lugar do mundo que é. E essa constatação – de que o mundo não é como gostaríamos que fosse – nos entristece. Tristeza que nos leva a viver mal. A agir mal. A fazer bobagens. A culpar os outros. A persegui-los em estado de fúria. E, eventualmente, a tomar o troco. Por isso, render-se à tristeza, acomodar-se com ela, é uma desordem cosmológica. Uma violação moral. Uma heresia. Uma blasfêmia contra o universo.

5
Vida sagrada

Deus participa da nossa vida. Quando acreditamos com fervor na sua existência. Quando rezamos e pedimos pela saúde de alguém que amamos. Quando somos educados segundo sua vontade. Quando pecamos. Quando estudamos história e entendemos o papel da Igreja ao longo dos tempos. Quando visitamos catedrais. Quando é apenas uma invenção do homem. Quando não passa de uma projeção do que gostaríamos de ser. Quando é instrumento de dominação de uns sobre outros. Quando gastamos nossas energias para convencer alguém de sua inexistência. Porque há muita desgraça no mundo. E ouvimos dezenas de argumentos contrários. E em tantos outros momentos.

Na história do pensamento ocidental sobre a vida boa, destacou-se, entre outros, o Deus cristão. Por isso, a relação entre esse Deus e a nossa vida nos interessa. Advirto que o conteúdo deste capítulo não é uma análise filosófica do cristianismo. Nem mesmo um resumo de manual de suas principais ideias. Porque nosso foco permanece o mesmo desde o começo: as reflexões sobre a vida. Sobre a vida em curso que nos toca viver.

Não posso saber, caro leitor, qual é a presença da religião na sua trajetória. Ela pode variar muito. Não sei em que colégio estudou. Se já frequentou alguma missa ou culto ou se o faz diariamente. No entanto, seja qual for essa presença, temos que admitir que a fé em um Deus e seus ensinamentos sempre estiveram presentes no mundo em que vivemos. E, portanto, queiramos ou não, exercem influência na vida de quem quer que seja. Porque não vivemos sós. E mesmo quando você não dá muita bola para isso, o outro, com quem você interage, dá.

Ainda escuto as advertências maternas de infância.

– Não faça isso porque Papai do Céu não quer. Ou, ao contrário:

– Ele vai ficar feliz com você. É isso que ele espera de você.

Desde então, reflexões poderiam ter sido feitas. Se Papai do Céu não quer que eu faça o que estou fazendo, antes de mais nada, ele existe. Não só existe, como tem algum tipo de vontade. Mais que isso: a vontade dele diz respeito a minha vida. Convenhamos: Deus poderia existir, e querer muitas coisas que nada tivessem a ver comigo. Essa sua vontade pode ser satisfeita ou contrariada em função de como eu agir. E o que é mais incrível: eu posso agir de maneira a contrariá-lo. Tenho essa prerrogativa. Esse poder. Deus quer que eu faça A e eu faço B.

Mas o pensamento do homem nem sempre concordou com essas inferências infantis. Em outros tempos, elas seriam tomadas por simples absurdo. Afinal, um Deus que pudesse ser identificado a um Papai do Céu – isto é, personalizado e cheio de filhos. Com vontades e expectativas para cada um deles. Contrariando-se quando frustrado. E filhos em condição de frustrar a cada instante o Deus Pai, tudo isso seria incompreensível em épocas de despertar do pensamento filosófico.

Afinal, concorde, caro leitor, tudo isso parece familiar demais para ser divino. No entanto, por razões que nossas ciências humanas tentam esclarecer, esse Deus tão próximo passou a ser defendido com fervor. Passou a importar, na hora de definir a vida, de julgar as hipóteses existenciais e de escolher a melhor delas.

E você, possivelmente já tenha pensado ou mesmo dito a alguém:

– Não vou fazer isso porque Deus não haverá de gostar.

Dissemos que nem todos pensariam assim. Que no despertar da filosofia essa reflexão seria considerada insana. Ora, o que pensavam, então, os primeiros filósofos sobre Deus?

As grandes perguntas sobre a origem e o sentido do cosmo – que encontramos nas cosmogonias e cosmologias da Antiguidade – são as que fundam as preocupações filosóficas gregas. O recurso ao divino sempre foi estratégia recorrente dos pensamentos de Platão e Aristóteles para explicar a origem e a ordem do mundo. Assim, é o próprio divino que confere ordem harmônica ao mundo. Ordem que não foi feita por nós. Ordem que nos transcende, portanto. Na perspectiva estoica, como acabamos de ver, o divino se manifesta na maravilhosa adequação entre as coisas do mundo e suas finalidades. Um divino que contemplamos bem diante dos nossos olhos. E que também deve oferecer fundamento a toda organização hierárquica do social.

Assim, o olho do urubu é divino. Porque maravilhosamente adequado à sua finalidade que é permitir ao urubu enxergar. O mesmo não pode ser dito dos olhos de Cecília. A cobra cega. O vento é divino. Porque para refrescar e, ao mesmo tempo, conduzir algo tão delicado quanto o pólen de um lugar para o outro, só mesmo ele. Dentro de nós, o cotovelo é divino. Só os que já tiveram o braço engessado e ficaram privados desta articulação podem flagrar, na sua plenitude, essa divindade.

O universo neoestoico, em toda sua complexidade, não se manteria de pé sem algum guardião divino. O reunir e dispersar das estrelas não resulta de um movimento fortuito. Já os objetos lançados a esmo pelo homem, esses se desordenam e colidem bruscamente. Em contrapartida, o veloz e ininterrupto movimento dos astros, sob o comando da *divina providência*, transporta tantas e tantas coisas de forma harmônica. Cada objeto no mundo tem uma disposição. Orientada por uma ordem que não é errante.

Veja, caro leitor. O divino aqui é uma harmonia entre as coisas no universo. Uma ordem. Uma complementaridade funcional. Portanto, nada tem a ver com um eventual Papai do Céu. Que quer isso ou aquilo para seus filhos. Que se zanga e castiga. Que se alegra e premia.

Quando o discurso de Cristo começa a ser apresentado e reapresentado por seus seguidores, reconstruído e resignificado pelas pessoas, podemos supor muitos diálogos entre cristãos e não cristãos. Entre convertidos e a converter. Conversas de rua. Ou de taberna. No antigo Império Romano.

Essas conversas punham frente a frente distintas concepções de Deus, ou do divino, bem como distintas formas de nos relacionarmos com ele. Imaginando essas conversas hoje, conhecemos o rumo da prosa. Sabemos o que aconteceu. Apesar de grande resistência, o discurso cristão ganhou cada vez mais espaço. E, em muitos lugares, tornou-se quase hegemônico.

Claro, se você, leitor, for cristão, dirá que esse triunfo se deve à verdade da sua proposta. Se não, poderá concluir que outras causas, sociais e políticas, permitiram essa reconfiguração do cenário ideológico da época. Mas importa observar que se as conversas e as discussões foram possíveis é porque havia um mínimo de concordância. Algum compartilhamento. Algo a partir do que argumentar. Que fosse considerado por ambas as partes.

Afinal, como em toda disputa ideológica, importa o convencimento. Objetivado aqui em apostolado e catequese. Ora, como encontrar bons argumentos de convencimento sem ter com o outro, por detrás do novo de que se pretende convencer, importantes pontos de concordância? Toda disputa, implica o pertencimento a um mesmo universo de enfrentamento. Um interesse comum pelo troféu disputado, um respeito comum a certas regras do embate etc.

Por isso, nessa luta pela definição legítima do divino, encontramos, ao mesmo tempo, concordância e discordância. Ruptura e conservação.

Comecemos pela ruptura. Entre o novo pensamento cristão e a perspectiva neoestoica do divino, a mais em voga em épocas de Cristo. Como vimos no capítulo anterior, Sêneca e Cristo eram contemporâneos. Essa ruptura concerne à própria noção do divino. O discurso cristão se oporá à equivalência neoestoica entre *cosmo* – ordem harmônica do universo – *logos* – compreensão racional desta ordem – e *theion* – o próprio divino.

Um novo Deus, portanto. Que aparece nas primeiras palavras do Evangelho de João. Escrito em grego em torno do ano 100 d.C. Um Deus completamente distante do que se entendia por divino pelos estoicos. E que novo Deus era esse?

> No princípio era o Verbo, e o Verbo estava com Deus, e o Verbo era Deus. Ele estava no princípio com Deus. Todas as coisas foram feitas por ele, e sem ele nada do que foi feito se fez. Nele estava a vida, e a vida era a luz dos homens. E a luz resplandece nas trevas, e as trevas não a compreenderam (Jo 1,1-5).

E as primeiras linhas do referido Evangelho esclarecem. No começo era o Verbo. O verbo aqui é a tradução de *logos*, do texto original. Esta tradução, caro leitor, surpreende. Porque o verbo, nas línguas latinas, é uma palavra que indica ação, bem como o seu tempo. Lembra-se do presente do indicativo? Dos pretéritos, perfeito e imperfeito? E dos futuros?

Em contrapartida, a palavra *logos*, em grego, entre outros sentidos, quer dizer razão e linguagem. Poderíamos propor então duas versões: no começo era a razão, ou, eu ainda prefiro, a ideia.

Talvez, uma única ideia. Na segunda versão, no começo era um discurso. Que contém uma ideia, no final das contas.

Afirmar que no começo era o *logos* coincide perfeitamente com o que pensavam os neoestoicos. Afinal, o *logos* – de lógica e compreensão – está imbricado na ordem universal, que os gregos consideravam divina. Portanto, até aqui, nenhuma discordância.

Mas um pouco adiante o texto de João propõe que esse *logos* – ainda traduzido por verbo – se fez carne e habitou entre nós. Aqui, as concepções de Deus se afastam brutalmente. É inaceitável para a concepção grega dominante da época que o divino da ordem universal tenha se convertido em carne. Na carne de um corpo específico. E essa carne, de que fala o texto, é Jesus, um homem, tido como filho de Deus. Sugere ainda o Evangelho que contemplemos sua glória. Ora, por mais que Jesus fosse um homem cheio de qualidades, jamais poderia encarnar sozinho o divino aos olhos de quem o considera uma harmonia abstrata entre todas as coisas do universo.

Essa distância entre as duas concepções de Deus ensejou enfrentamentos e perseguições. Assim, Paulo, o apóstolo dos gentios, anunciou no Areópago em Atenas, a partir de fundamentos filosóficos, em discurso para iniciados em filosofia, que o Deus desconhecido como o Deus que criou o céu e a terra, onde vivemos, nos movemos e somos. Até aqui, tudo bem.

> E, enquanto Paulo os esperava em Atenas, o seu espírito se comovia em si mesmo, vendo a cidade tão entregue à idolatria. De sorte que disputava na sinagoga com os judeus e religiosos, e todos os dias na praça com os que se apresentavam. E alguns dos filósofos epicureus e estoicos contendiam com ele; e uns diziam: Que quer dizer este paroleiro? E outros: Parece que é pregador de deuses estranhos; porque lhes anunciava a Jesus e a ressurreição. E tomando-o, o levaram ao Areópago, dizendo: Poderemos nós saber que

nova doutrina é essa de que falas? Pois coisas estranhas nos trazes aos ouvidos; queremos, pois, saber o que vem a ser isto. [...] E, como ouviram falar da ressurreição dos mortos, uns escarneciam, e outros diziam: Acerca disso te ouviremos outra vez. E assim Paulo saiu do meio deles (At 17,16-33).

Mas Paulo pretendia, a partir daí, chegar em Cristo, o ressuscitado, mas não teve sucesso. Foi vaiado. Decepcionado, desistiu de convencer os sábios de Atenas. Na mesma linha de enfrentamento, devemos entender a condenação de São Justino, primeiro papa da Igreja, pelo imperador da época e filósofo neoestoico Marco Aurélio.

O novo Deus não é mais uma ordem cósmica anônima. Mas, um indivíduo. Um divino encarnado. Um Deus pessoal. Que podíamos encontrar na rua. Com quem podíamos bater um papo. Aparentemente, sem frescura. Afinal, dava prosa a qualquer um. E grande atenção aos carentes. Não só de riqueza, mas também de notoriedade, de capital simbólico de afeto etc. Nada a ver com os reis da época. Ou com as pessoas importantes de hoje. De difícil aproximação.

Por conta disso, muda também a nossa relação com ele. Na concepção grega, o divino deve ser identificado pela razão. Qualquer pensante pode identificar a ordem divina do mundo ao contemplá-la. Dar-se conta, racionalmente, que o ventar do vento tem a ver com o marear da maré. E que essa relação é maravilhosa. É divina.

Mas quando o divino é uma pessoa – filho único pleno de graça e verdade – podemos aproximar-nos fisicamente dele. Pelo menos, enquanto vivo e entre nós. E a relação neste caso era homem a homem. Aqui, importa pouco o pensamento. O entendimento. O fundamental agora, como em todas as relações desse tipo, passou a ser a confiança. Confiança no outro. Confiança que ele não esteja mentindo ou enganando. Confiança que o cristão vai chamar de fé.

Porque, para os gregos estoicos o universo era obviamente maravilhoso, bastava contemplá-lo. O divino advinha da dedução imediata desta contemplação. Já o novo Deus encarnado deve gozar de credibilidade. Confiança no que não se pode deduzir ou demonstrar. Daí a importância do testemunho. Daqueles que já encontraram Deus, já falaram com ele e nele passaram a confiar. Pois da contemplação desse novo Deus, nada se deduziria pela razão.

Desta última, devemos agora desconfiar. E condenar a prepotência dos que nela confiam. E aqui, a virtude fundamental passa a ser a humildade. Em contraste com o orgulho e a pretensão dos filósofos. Essa humildade é também a do próprio Cristo. Que se deixa crucificar, quando poderia facilmente resistir. Escândalo para os judeus e loucura para os gregos.

Por isso, o apóstolo Paulo apresenta a sabedoria do mundo como loucura perante Deus e a loucura perante o mundo como sabedoria de Deus. Tristeza dos psiquiatras. Também por isso, Lutero insistiu tanto na salvação pela fé. E não por suas ações ao longo da vida. Porque a fé é o meio legítimo para a compreensão da mensagem do Cristo.

A filosofia vai ocupar papel secundário face à fé. Estará a serviço da religião. A razão fica confinada à interpretação da Palavra, como as parábolas, e à compreensão da natureza como obra de Deus. Este papel secundário vai transformá-la. Convertendo-a numa escolástica. Num estudo estritamente conceitual. Numa análise de noções. Num debate teológico. Isto porque a filosofia perdeu o direito de analisar a vida. De ensinar a viver. Frente à verdade, sempre revelada.

Sagrado e moral

O cristianismo mudou o pensamento sobre a vida. Agora, para viver bem é preciso confiar. Confiança num Deus que, de fora, criou o mundo. Transcendente ao mundo, portanto. Confiança que esse mesmo Deus criou o homem. E que essa criatura foi feita à sua imagem e semelhança. Assim, é preciso acreditar que somos parecidos com Deus em algum aspecto.

– Mas o que em mim poderia ser parecido com Deus? Pergunta o leitor, curioso.

O que nos aproxima de Deus é a própria criação. Enquanto Deus é o criador de tudo, nós homens podemos ser criadores da própria vida. Escultores da estátua da própria existência. Para tanto, o homem pode transcender a sua natureza. A natureza de seus apetites. Essa possibilidade isola o homem do resto dos seres vivos. Que agem segundo suas inclinações. Privilegiada filiação.

O homem, por ser filho de Deus, pode agir livremente. Liberdade do arbítrio frente ao corpo na teologia católica. Liberdade que o torna passível de um juízo moral, que tem por critério a vontade de Deus. Fosse o homem um animal como os demais, não seria livre para arbitrar. Não decidiria ele mesmo sobre suas ações. Não poderia pecar. Nem ser julgado como pecador. Ou absolvido. Assim é Cecília. A cobra cega. Que em sua condição não pode pecar.

Por sinal, a teologia calvinista, ligada à Teoria da Predestinação, não nos distinguirá tanto assim dos outros seres. Afinal, se Deus é onisciente e, ao fazer a gênese do mundo já sabia como iria acabar, então, quando fez o homem, já sabia quais eram os seus destinos. Podia prever guerras, aflições, profetas e o próprio Cristo. Por isso, ao fazer o mundo, já sabia da existência de cada um desses homens. Tudo que viriam a fazer. E se seriam salvos ou não. Por isso, antes mesmo de nascermos, você leitor e eu, Deus já tinha determinado, na origem da humanidade, quem seria ou não salvo.

> Os não eleitos, posto que sejam chamados pelo ministério da palavra e tenham algumas das operações comuns do Espírito, contudo não se chegam nunca a Cristo e portanto não podem ser salvos; muito menos poderão ser salvos por qualquer outro meio os que não professam a religião cristã, por mais diligentes que sejam em conformar as suas vidas com a luz da natureza e com a lei da religião que professam; o asseverar e manter que podem é muito pernicioso e detestável (*Confissão de Fé de Westminster, X, IV*).

Mas essa tal liberdade católica como condição da moral, que origem e fundamento tem? Que lugar ocupa na história do pensamento ético? De onde vem e para onde vai? Eis o que nos entreterá nas próximas páginas.

Sagrado e moral aristocrática

A moral cristã rompe com o mundo aristocrático grego. Impossível entender essa ruptura sem vislumbrar com clareza a concepção aristocrática do mundo. Os atributos da moral aristocrática. Ora, quando você leitor ouve a palavra aristocracia e suas derivadas, o que vem a sua mente?

– Quando eu ouço a palavra "aristocrático", o que me vem à cabeça é a corte de algum rei, a nobreza, pessoas esnobes, pessoas que se tomam por superiores às outras, privilégios etc.

Compartilhamos, caro leitor, de um mesmo imaginário. Afinal, um comportamento aristocrático, não sei se o leitor concordará, faz alusão a uma conduta pedante. Cheia de si. De autossuficiência. Pois bem. Essas associações nos ajudarão a entender melhor essa ruptura entre a moral cristã e a moral aristocrática.

O fundamento dessa moral aristocrática encontra-se numa certa concepção de natureza. Na vida dos demais entes naturais. Ou seja, a conduta que é devida decorre da natureza de ser como é. Existe, portanto, um alinhamento, uma coerência entre a ação humana e a vida do resto da natureza. A partir deste fundamento, identifica-se na natureza uma hierarquia. Uma hierarquia natural entre os seres. Isto é, uns superiores a outros. É claro que você leitor estará se perguntando:

– Mas, como assim, superiores?

Ora, se o universo que constituímos é cósmico e ordenado, e cada um dos seres que dele participa tem uma finalidade específica, essa superioridade decorre da maior ou menor excelência com que esses seres desempenham suas atividades com vistas à finalidade que lhes corresponde.

Assim, um olho bom – ou virtuoso – é um olho que enxerga bem. Funciona de forma a alcançar satisfatoriamente a sua finalidade. Da mesma maneira haverá cavalos mais ou menos ágeis para o deslocamento, vacas com maior ou menor capacidade de produção leiteira etc. Isto porque, há olhos que não enxergam – ou muito pouco –, cavalos que não se deslocam – ou muito vagarosamente –, vacas que não produzem leite – ou muito aquém do que se poderia esperar. Espero que tenha entendido, caro leitor, de que superioridade estamos falando. Condição da concepção hierárquica do universo.

Ora, se é assim para todos os seres da natureza, nada justifica a exclusão do homem. Assim, há pessoas melhores do que outras. Mais talentosas do que outras. Mais competentes em buscar suas finalidades. Uns são mais fortes que outros. Uns são mais ágeis do que outros. Uns são mais loquazes do que outros. Ora, eis uma constatação fática com a qual todos concordamos. Suponho.

Assim, no mundo social em que vivemos, na *polis* de que fazemos parte, uns são superiores a outros. Perceba que essa superioridade, de fundamento natural, deve estar no centro da reflexão sobre a vida boa. Porque para a moral aristocrática, as pretensões para a vida devem considerar, antes de tudo, os talentos de que dispomos, desde o nascimento, para vivê-la.

Da mesma forma, a moral aristocrática propõe que toda ordem jurídica, política, social e moral decorra desta hierarquia, isto é, desta desigualdade e superioridade de uns sobre outros. Assim, a relação entre duas pessoas desigualmente talentosas e, portanto, distintamente virtuosas é uma relação de superioridade. Que se objetiva em mando e servidão.

Decorre, naturalmente, do que expusemos que as pessoas são desigualmente dignas, do ponto de vista moral, em função de talentos ou dons naturais com os quais nasceram e que nada fizeram para obter. Desta forma, as regras jurídicas devem refletir essa desigualdade, consagrando-a, como princípio jurídico, nas mais diversas situações particulares de antagonismo.

Não cabe, portanto, ao Direito promover igualdade entre pessoas desiguais. Pelo contrário. Deve fazer da superioridade um estatuto. Em outras palavras: a desigualdade da natureza deve encontrar correspondência perfeita na desigualdade dos direitos de cada um. Por isso, a escravidão era entendida como justa. E as leis garantiam as condições de uma atualização dos talentos desigualmente distribuídos. Desta forma, jamais se legislaria para corrigir a natureza. E sim para confirmá-la.

No que concerne a política de formação do cidadão, os esforços devem ser consagrados para aperfeiçoar os dignos de aperfeiçoamento. E, jamais gastar dinheiro com quem, pelas aptidões naturais, não estivesse à altura. Seria descabido, para esta concepção aristocrática de cidade, qualquer investimento no esporte paraolímpico.

Da mesma forma, a cidade justa, nessa perspectiva grega, é a que melhor faz da hierarquia social um espelho da hierarquia natural. E a legitimidade para o exercício do poder político é inseparável da excelência pessoal. A cidade justa deve ser governada por quem já é superior na hierarquia natural dos seres. Os filósofos no alto, os guerreiros no meio e os artesãos em baixo. Corresponde à superioridade da razão, no alto, em relação ao peito dos guerreiros e o baixo ventre dos artesãos. Neste sentido, a virtude é uma questão de talento. De disposição natural. De dons naturais.

Perceba, caro leitor, a distância desta moral aristocrática para a moral que é a nossa. Somos muito mais cristãos do que você imaginava. E cristãos, mesmo quando desacreditamos com firmeza na existência do seu Deus. Cristãos, porque herdeiros de uma forma comum de ver o mundo e o homem dentro dele.

Sagrado e igualdade

A mais importante característica desta ruptura da moral cristã face à moral aristocrática grega está na igualdade. Numa nova concepção de humanidade. Onde o valor moral advém do uso que fazemos dos talentos. E da liberdade de cada um em fazer deles o que bem entender. Porque a dignidade do homem no mundo e o respeito que lhe é devido não mais dependem de seus talentos naturais. Porque são igualmente dignos os super e os infra dotados.

Desta forma, nessa nova concepção de humanidade, toda e qualquer reflexão a respeito da vida de cada um deve ter como pano de fundo a igualdade de princípio entre todos os homens. E não uma vida de privilégios sociais fundada em uma desigualdade natural qualquer. Vida boa que, a partir de agora, vai depender menos do que nos legou a natureza e mais do que deliberamos livremente fazer com esse legado.

Uma igualdade comumente relacionada à filiação comum. De Deus. À fraternidade. À condição de criatura. Mas, caro leitor, o fundamento da igualdade é mesmo a liberdade – que nos é comum – para dar aos próprios talentos o destino deliberado. Assim interpreto a conhecida parábola dos talentos.

No Evangelho de Mateus encontramos a parábola em questão. Narrada por Cristo. Encarnação de Deus em trindade com o Espírito Santo. Nela um senhor que partira para terras distantes deu para cada um dos seus servos alguns talentos, moedas. Para o primeiro deu cinco, para o segundo duas e para o último uma só moeda. Depois de um bom tempo o senhor voltou para sua terra. Foi ter com seus servos a prestação de seu dinheiro. Os dois primeiros usaram os talentos e multiplicaram o valor recebido. Dez e quatro respectivamente. O senhor ficou maravilhado com o resultado de seus esforços. E os elogiou da mesma forma. Porque ambos, fizeram dos talentos bom uso. Já o último, com medo de perder o talento recebido, o enterrou. Não fez nada com ele. Nem sequer emprestou para um banqueiro. Por isso mesmo foi condenado pelo seu senhor.

Veja, leitor. Para os gregos, aristocratas, a virtude moral tem a ver com habilidades que temos desde o nascimento. Talentos naturais. Eu sei que você não concorda com isso. Por quê? Porque você não relaciona estes talentos à moral. São dados da natureza que independem de nós. São o que são. Costumamos relacionar a moral com o que depende de nós. Com o que fazemos da nossa vida. Com o que fazemos daquilo de que dispomos. Com o que poderíamos ter feito diferente. Com o que podemos ainda mudar. O que não acontece com os talentos.

Neste sentido, a moral deixa de ser uma simples atualização da natureza, como queria a moral aristocrática. Converte-se no seu contrário. Costumamos entender por moral – influenciados pela moral cristã – a resistência que oferecemos aos caprichos do próprio corpo. Porque agora a natureza não é mais fundamento. Pelo contrário. Deve ser resistida. Porque somos livres. Por isso, toda concessão a esses caprichos é condenada.

Agostinho, pensador cristão que viveu em torno de 4 séculos d.C., alerta para os sacrifícios que temos que fazer e as dores que temos que suportar em nome de tudo que alimenta nossos vícios. Analisa que somos mais infelizes em desejar do que felizes ao imaginar sua posse. A que perigos e tormentas acabamos nos expondo em nome de falsas riquezas, glórias vãs e frívolos prazeres. A natureza e seus talentos estão sob suspeita.

> Então voltei a falar:
> – Todos queremos ser felizes?
> Mal disse essas palavras, fez-se ouvir uma só voz de unanimidade.
> – Parece-vos – perguntei – ser feliz quem não tem o que quer? – Todos responderam negativamente. Será então feliz quem tem o que quer? A nossa mãe disse então:
> – Se quer bens e os tem, é feliz; se por outro lado, quer coisas más, ainda que as tenha é infeliz.
> – Mãe, alcançaste por completo o próprio refúgio da filosofia – disse eu, sorrindo de satisfação com a resposta (SANTO AGOSTINHO. *Diálogo sobre a felicidade*).

Afinal, qualquer talento humano que pudermos imaginar poderá facultar ações boas. Mas poderá também, como se diz, ser usado para o mal. A força dos músculos pode permitir um salvamento, mas também um espancamento. A beleza pode encantar, mas também escravizar. A inteligência do cientista pode vacinar a criança, mas pode também enganar, fraudar, estuprar pessoas sedadas e matar em série. Esses talentos em si mesmos são o que são. Não tem nenhum valor moral. São indiferentes.

Portanto, um indivíduo supertalentoso e outro minguado em talento estão, ambos, do ponto de vista moral, na mesma situação. Em pé de igualdade. O cristianismo passa sua régua moral nas desigualdades da natureza. Se você leitor, nasceu assim ou assado, paciência. O que conta mesmo é a partir de agora. E só depende de você.

Ora, se a moral está no uso dos talentos, objetiva-se nas condutas, na ação concreta no mundo. Eis o gancho para outra ruptura entre o cristianismo e a moral aristocrática grega. O valor moral do trabalho.

Sagrado e trabalho

Os deuses gregos do Olimpo não trabalhavam. O deus dos estoicos tampouco. Afinal, trata-se de uma estrutura ordenada e harmônica do universo. E isso aí não costuma pegar no batente. Já o Deus cristão criou o mundo. Em 6 dias. E não foi nada fácil. Por isso teve que descansar. No sétimo. Mas isso é o que dizem.

Na história, o trabalho livre tem sua origem relacionada com o baixo clero. Na perspectiva aristocrática grega só quem trabalha são os inferiores. O trabalho indica esta inferioridade. O superior se exercita. Esmera-se. Aperfeiçoa-se. Refina os talentos legados em sua natureza. E seu ócio é condição desse aperfeiçoamento.

No momento em que o foco da moral se desloca do talento para seu uso, o trabalho se mostra transformador do mundo. Aqui a preguiça se converte em motor de todos os vícios. E o trabalho, na concretização de um entendimento do humano e da sua moral. É pelo trabalho que o valor moral da vida se torna mensurável. Assim, o trabalho é recomendado, não por imitação ao Deus que trabalha, mas por condição de moralidade e de dignidade da vida. De humanidade, portanto. E aqui fica claro que a preguiça é um grande mal.

> Também um escritor moderno houve por bem formular o contraste que aparece no comportamento das duas confissões religiosas em face da vida econômica nos seguintes termos: "O católico é mais sossegado; dotado de menor impulso aquisitivo, prefere um traçado de vida o mais possível seguro, mesmo que com rendimentos menores, a uma vida arriscada e agitada que eventualmente lhe trouxesse honras e riquezas. Diz por gracejo a voz do povo: 'bem comer ou bem dormir, há que escolher'. No presente caso, o protestante prefere comer bem, enquanto o católico quer dormir sossegado" (WEBER, M. *A ética protestante e o "espírito" do capitalismo*).

Sagrado e salvação

O Deus cristão é cheio de novidades para nós. Antes de tudo ele é pessoa. É carne. Com ele podemos conversar. Pedir alguma coisa. Orar para que nos atenda em alguma demanda. Prerrogativa absurda na perspectiva estoica, para quem o divino é uma estrutura ordenada do universo. Além de se dispor a nos ouvir, o Deus cristão cuida de cada um de nós. De cada cabelo de nossa cabeça.

São Justino, mártir cristão, esclarece, para explicar sua conversão. Os estoicos tentam nos convencer que Deus cuida do universo no seu todo. Dos gêneros e das espécies. Mas esse mesmo deus não se ocupa de nós. Em particular. Já o Deus cristão zela pelo destino de cada um de nós. Olho no olho. Numa relação pessoal. Promete-nos a eternidade. Mais do que isso, que vamos reencontrar nossos entes queridos. Por isso, podemos amá-los à vontade.

– Como assim, só no cristianismo podemos amar à vontade?

Os estoicos relacionavam o amor ao apego. E o apego à dependência afetiva da existência do outro. Que quando interrompida nos deixa a ver navios. Sofrendo. Por isso, adestravam-se ao desapego. Convenciam-se de que aquele poderia ser o último encontro. Que a morte determinaria a separação a qualquer momento. Com o discurso cristão, seus problemas acabaram. Apeguem-se sem medo. Porque a morte não mais separa. Mas reúne. Para toda a eternidade. Por isso, Agostinho levou a morte da mãe que tanto amava numa boa.

Para os estoicos, eternizamo-nos em vento, grama, sabão, chifre de bode etc. Discurso que na época devia até tranquilizar. Amenizar o temor. Mas a promessa de eternidade cristã é pessoal. A nossa salvação, sua, caro leitor, e minha. E, de lambuja, a salvação daqueles que amamos. Agora sim. É tudo de bom. É o máximo que poderíamos querer. O melhor dos sonhos. Cada um de nós, para sempre, e perto dos que amamos.

– E o que eu preciso oferecer em troca? Qual o preço de tudo isso? Afinal, quando a esmola é muita o santo desconfia. Eu vivo recebendo notícias por email que ganhei isto ou aquilo e nem ligo mais. É tudo picaretagem. Como ter certeza de que não se trata de uma picaretagem a mais? Mais elaborada, talvez?

Justamente, caro leitor. O preço é ter certeza. A plena confiança de não se tratar de uma picaretagem a mais. O que eles chamam de fé. Sem esta, nada feito. Você perde tudo.

– Mas não tendo a tal fé, como faço para tê-la?

Nada a fazer. Esta fé é como estilo. Ou você tem, ou você não tem.

– Bom, este assunto está me aborrecendo. Vamos deixar para lá. Até porque, essa coisa de salvação é só para depois da morte mesmo. E eu tenho certeza de que ela está distante. Quando chegar mais perto, quem sabe se a tal da fé não aparece?

Querido leitor. Divergimos respeitosamente. Como dizia um amigo de Amparo. As coisas da salvação, pelo menos por enquanto, só tem a ver com a vida. Porque não se vive da mesma maneira segundo se acredita numa salvação de tipo cristão, de tipo estoico ou em nenhuma. Nossas crenças sobre a eternidade são decisivas na hora de definir essa nossa vida, transitória e finita. Por isso, todas as garantias de salvação são oferecidas e endossadas em vida. Na mais estrita imanência. Só por isso importam. Só por isso nos interessam. Até hoje.

6
Vida potente

A vida tem a ver com a potência. Com a energia que, a cada instante, podemos disponibilizar para viver. Nada nos é mais essencial. Se nos amputarem uma perna, continuaremos sendo o que somos. Da mesma forma, um braço. Ou outras partes de nós. E que parte de nós não podemos amputar? Sob pena de deixar de ser. Qualquer uma que, se amputada, aniquilasse nossa potência. Porque sem potência para agir, deixamos de ser. Eis a perspectiva de Espinosa, com quem dialogaremos neste sexto capítulo.

Quando alguém lhe pergunta:

– Que foi cara? Cê não tá legal?

Só pergunta por supor em você menos potência do que esperava encontrar. E se você pode não estar legal, é porque essa sua potência oscila, segundo a segundo. Combustível sempre incerto. Afinal, as coisas que nos acontecem, os fragmentos de mundo que desfilam diante de nós, acabam interagindo conosco e nos transformando. O tempo todo. Por isso, essa potência – tão fundamental para a vida – é só uma questão de instante. Como todo o resto, talvez.

Potência e essência

A potência – que é a nossa nesse determinado instante – permite que sejamos o que somos. É só nossa. Não é a potência de mais ninguém. Por isso, é ela que nos discrimina – e identifica – em relação a tudo que não somos. É também incomunicável. Intransferível. Inalienável. Incompartilhável. Daí nossa solidão. Condição de nossa existência.

Porque somos ilhas afetivas. Em cada instante, não dispomos da potência de mais ninguém. E ninguém dispõe da nossa. Muitas vezes, a falta de solidariedade na potência nos irrita. Parece-nos inaceitável que outros, com quem contamos, não disponibilizem, num certo instante de vida, a mesma potência que nós.

– Vamos, ânimo! Vocês parecem sacos de batata! Eu quero sangue nesses minutos que faltam!

Cobra o treinador à beira do campo, em desespero.

Haja singularidade. Haja isolamento. Cada um na sua. Porque nossas sensações são nossas. Estritamente. Porque ninguém sente o que sentimos. O que torna o ofício de dentista possível. E o leitor pode observar na própria existência. Nunca sentimos mesmo o que sentem os demais. Por mais que se esforcem para nos contar. Suas tristezas são suas. Suas fraturas de tíbia e seus orgasmos também. Porque, mesmo quando damos causa à fratura ou ao orgasmo do outro, permanecem-nos estes dramaticamente exteriores. Inacessíveis.

No entanto, embora sendo outro em relação a nós, todo esse resto de mundo que não sai da nossa frente tem a ver com nossa potência. Em poucas palavras: esta nossa potência é só nossa, nosso diferencial, nosso casulo. Mas, ao mesmo tempo, está à mercê do resto do mundo onde nos encontramos.

Potência na imanência

O real é o todo. Podemos chamá-lo de mundo ou de universo. Desde que você saiba não se tratar de nomenclatura da geografia ou da astronomia. Esse mundo, por ser o todo, não tem lado de fora. Se tivesse, não seria o todo. Por isso, não pode ser interpretado como obra de um criador. Como um projeto, ou como a realização de um plano. Ou mesmo como um relógio. Porque nestes casos, o tal criador, projetista ou relojoeiro, estaria do lado de fora. Transcenderia ao todo.

Por esta razão, Espinosa não atribuía ao real nem beleza, nem feiura; nem ordem, nem confusão. Por falta de referência externa. Por ausência de gabarito. Porque o real é o que é. Tão somente. Conclui-se que qualquer ordem, caos, beleza, feiura, justiça, crueldade que atribuamos ao mundo advém apenas dos afetos de nosso corpo. Ou de nossas expectativas. De como gostaríamos que fosse.

Este mundo – que só tem adjetivos para nós – é constituído por partes. E estas partes, por sua vez, também são constituídas por outras partes. E assim por diante. O vento é parte, a maré é parte, o rabanete da sua salada é parte e você, caro leitor, tanto quanto eu – se me conceder a intimidade – somos parte do tal todo, ou do mundo.

Além disso, nós mesmos, cada um de nós, somos constituídos por partes. Joelho, fígado, rim, cérebro etc. Essas partes, por sua vez, são constituídas de outras, e essas de outras e, se já tivermos chegado às células, estas têm uma membrana, um núcleo, organelas citoplasmáticas, material genético. Que por sua vez...

Potência e relação

Essas partes só constituem o mundo quando se encontram em relação. Não podem ser concebidas por si. E o mundo não é mera reunião das mesmas. Assim, só faz sentido entender uma mitocôndria como parte do mundo – responsável pela respiração da célula – se a colocarmos em relação com o complexo de golgi da mesma célula, responsável pela sua digestão. Da mesma forma, o estômago só constitui o nosso todo na relação com o intestino.

A rigor, o que estamos chamando de mundo é o todo das relações entre todas as partes. Por isso, não se trata de uma simples justaposição. Nem de reunião ou juntada. Afinal, o todo impõe sua lei. E as partes se relacionam sob seu jugo. Um joelho é constituído de muitas partes. Que se relacionam a partir do todo. Em função dele. Segundo a sua necessidade. Tudo nele é para a perna dobrar. Tirania da dobradiça.

– Mas essa estória de relação, – o que significa exatamente? Qual a diferença entre estar e não estar em relação? Pergunta o leitor, já entusiasmado com a comissão de frente espinosana.

Quando dois corpos A e B se relacionam, isto, antes de tudo, quer dizer que A age sobre B e B age sobre A. Ora, se um age sobre o outro, significa que produz sobre ele efeitos. Transformando-o. Determinando-o. Fazendo ser diferente do que era. E vice-versa. Em outras palavras, quando dois corpos se relacionam, ambos são transformados, de maneira que o corpo A deixa de sê-lo – modificado por B – e B, também deixa de ser B, modificado por A.

E você, leitor, se lembra de ter comentado estar vivendo uma relação muito bonita com sua nova parceira. Alguém poderia ter perguntado o que você quis dizer com isso exatamente. E você respondeu:

– Gosto do jeito que ela me transforma. Porque não seria o que sou, não fosse sua presença, não fossem os encontros que vivemos.

Da mesma forma, quando o coração bombeia o sangue, este se desloca. E a cada bombeada, tanto um quanto o outro se transformam. Você dirá:

– Mas o meu coração é o meu coração! Bate desde que nasci! De fato. Mas, ao mesmo tempo, é outro a cada instante. A cada batida. Por isso, para ser simples, um coração que não para de envelhecer. E se você ainda não se convenceu, é no momento de um catiripapo, de um enfarte, de uma necrose no tecido que restringe a circulação que fica mais claro que o coração já não é o mesmo do nascimento.

O homem – que é todo constituído de partes – também é parte. Somos, todos, partes do mesmo todo. Imanentes ao mundo ou à natureza como tudo mais. Sem com ela rivalizar ou a ela transcender. Quando dizem que o homem impacta a natureza quando age, a rigor estão dizendo que partes diferentes da natureza se relacionam entre si. Interagem. Transformando-se.

Desta forma, nem nós – nem qualquer outra entidade – olha e julga o mundo de fora. Por falta de poderes divinos. Assim, quando qualquer corpo se manifesta, está agindo enquanto parte. Porque a ninguém – nem a nada – é possível ir além desta condição. E todo discurso com pretensão universal ou imparcial é pura ingenuidade, ilusão, falácia. Ignorância da própria condição.

Desta forma, tudo que é participa de uma única natureza, para todos os corpos. Homens, girafas e amebas. Como também, uma única natureza para todas as almas. Uma única substância para todos os atributos. Um plano comum de imanência. Na fórmula consagrada, o homem não é um império num império.

> Os que escreveram sobre os afetos e o modo de vida dos homens parecem, em sua maioria, ter tratado não de coisas naturais, que seguem as leis comuns da natureza, mas de coisas que estão fora dela. Ou melhor, parecem conceber o homem na natureza como um império num império (ESPINOSA. *Ética*).

E isto não é jargão acadêmico. Pelo menos, não só. É um convite para a vida em ato. Um convite para a vida reconciliada com o seu tempo. Uma maneira de viver sem superstições, sem temores, sem esperanças. Filosofar, aqui, como para muitos dos gregos, não é só enunciar discursos conceituais. É viver de certa forma.

A vida do homem enquanto parte também se materializa em relações. Viver é relacionar-se. É estar em relação. Por isso a vida de qualquer um de nós não pode ser analisada pelo que supostamente somos, mas pelo que acontece conosco no mundo. Na medida em que somos efeito do mundo com o qual nos relacionamos. Como, a cada instante, o mundo se relaciona com o nosso corpo, age sobre ele ininterruptamente. Produzindo sobre ele efeitos. Por isso, também para nós, viver em relação é viver em transformação contínua.

Desta forma, a vida pode ser alegoricamente comparada a uma trajetória de encontros com o mundo. Isto porque, enquanto houver algum vivente, haverá mundo para se relacionar com ele. Inferimos daí duas coisas: a primeira é que o mundo não para de nos afetar. A segunda é que não paramos de afetar o mundo. Comecemos pela primeira. O mundo não para de nos afetar.

Potência e afetos

Quando você, leitor, bate a canela na quina da cama sente com clareza o encontro. Sente o efeito que o mundo – objetivado na quina da cama – produz sobre seu corpo. O afeto é a maneira como seu corpo interpreta esse efeito. Dor. E como dói. No caso de um ósculo bucal, o efeito é outro. Porque agora, a parte do corpo afetada é a sua boca. E o mundo que afeta é outra boca.

> Postulados: 1. O corpo humano pode ser afetado de muitas maneiras, pelas quais sua potência de agir é aumentada ou diminuída, enquanto outras tantas não tornam sua potência de agir nem maior nem menor (ESPINOSA. *Ética*).

Mas os encontros quase nunca são tão simples. Como lábios que encontram lábios. Porque ao mesmo tempo, língua toca língua, mão aperta glúteo, mão afaga cabelos, pernas entrelaçam pernas, nariz roça em nariz e muito mais. E nosso corpo vai sendo afetado por todos os lados. E, muitas vezes, percebemos, instante a instante, o que vai acontecendo com nosso corpo. Os corpos que vão se relacionando com ele. O tipo de efeito que ensejam. As sensações que nos impõem.

Potência não percebida

Mas nem sempre nos damos conta do mundo que nos afeta. Tampouco do afeto. Do efeito que o mundo determina em nós. Por isso, muitas vezes não percebemos a oscilação de potência de agir que o mundo determina sobre nosso corpo ao se relacionar com ele. Assim, não raro, um encontro nos apequena; e passa batido. E também acontece de alguma coisa – que se apresenta inesperadamente diante de nós – alavancar inesperadamente nossa potência; e também não atinarmos.

Vou insistir, porque o noto um pouco distraído. E isso não é motivo para paranoias. É mera dedução da complexidade do que estamos explicando. Seu corpo mantém com o mundo uma infinidade complexa de relações, com grande número de efeitos simultâneos sobre você. Esses efeitos não são lógicos, compreensíveis e organizados como você gostaria. Pelo contrário. O mundo faz do seu corpo uma arena de efeitos contraditórios. Uma zona afetiva. Da qual, você não tem como se dar conta. Pelo menos, não completamente.

Portanto, muita coisa que acontece com você vai passar despercebida. E isso explica o fato de você ir se convertendo no que é sem entender muito bem por quê. Talvez, se você aumentasse a capacidade de se dar conta de como o mundo o afeta, poderia entender melhor suas relações, suas reações, sua vida em suma. E dar menos bola para explicações fundadas em outros mundos.

Assim, comecemos com um exemplo simples:

Neste momento, estou sentado num sofá. O mundo que me afeta são os ruídos mais salientes que vêm da rua e que me desconcentram; o teclado que teima em pressionar meus dedos; a claridade da tela do computador etc. De tudo isso tenho plena consciência. Mas, além disso, o sofá em que estou sentado pressiona meus glúteos há mais de quatro horas. E só me dei conta dele, porque tive que pensar neste exemplo. Normalmente, seriam quatro horas de efeitos despercebidos. Sem falar nas costas, que só agora começaram a doer. E o chão, que pressiona a sola do sapato que pressiona a sola de meus pés. E o ar que circula na sala, entrando e saindo pela janela. E assim por diante.

E eu disse que o exemplo era simples. Não inclui nenhuma relação entre as partes que constituem o meu corpo. Porque enquanto estou escrevendo, todas as suas células estão interagindo. Pergunto: quando foi a última vez que se deu conta de seu joelho? Posso apostar que, tanto quanto eu, você só tem consciência desta articulação em momentos particularmente dramáticos, como em encontros dolorosos com o mundo ou, eventualmente, em dias muito frios. Mas mesmo sem você dar muita bola, o joelho continua dobrando. Centenas de vezes ao dia. Fazendo relacionar suas partes, que se afetam e se transformam o tempo todo. E você nem tchuns.

Esses efeitos, percebidos ou não, podem ser contraditórios. Isto é, ensejar sensações que se enfrentam. Que se anulam. Assim, você pegou um ônibus intermunicipal, na Rodoviária do Jabaquara. Popular Jabuca. Zona sul de São Paulo. Cumprido o horário, você já circula pela Rodovia dos Imigrantes, em direção a Peruíbe, cidade do litoral sul. O dia está lindo. O trânsito livre. Ao seu lado, alguém agradável. Você ainda teve tempo de comprar duas coxinhas na lanchonete da rodoviária. E uma garrafa plástica de groselha. Tudo de bom, você comenta com você mesmo.

No entanto, nesse mesmo instante, toca no rádio do ônibus um antigo sucesso de um cantor pop. Você não gosta da música. Julga brega. Sempre preferiu pagode. Num mesmo instante, você é afetado contraditoriamente. A pontualidade, o sol, o trânsito livre, a companhia, as coxinhas e a groselha trazem agrado, mas a música...

Por que estou insistindo tanto nos afetos não percebidos? Ora, para que você se dê conta da complexidade afetiva de cada instante. Para que tenha mais humildade diante da vida. Para que não espere tanto dela. E não acabe se frustrando tanto.

Todos aqueles que sugerem soluções existenciais já prontas, cartilhas do bem viver, procedimentos garantidores de vida boa a qualquer um presumem um alinhamento indiscriminado entre mundo, conduta e afeto. Mas para que funcionasse, seria necessário que tivéssemos plena consciência de tudo. Que pudéssemos estar no controle soberano de nossos afetos. Que, na nossa vida, mandássemos nós. Espinosa nos ensina que não é tão simples. Daí nossa insistência.

Potência inédita

Mas, apesar de muita coisa na relação com o mundo nos escapar, é legítimo que lutemos para nos defender. Por isso, tentamos, em função de experiências anteriores, prever encontros desagradáveis. Para evitá-los. Como a ida ao cinema com jovem de hálito notável. E, por outro lado, procuramos patrocinar outros, mais agradáveis. Com pessoas que já nos alegraram. Ou com outras, que, em algum aspecto, pareçam com estas.

Mas, como nós dois sabemos, caro leitor, nem sempre dá certo. Afinal, o que nos ensina o já vivido tem limites evidentes. Data de validade. Limitada a um corpo que não é mais. Porque nosso corpo é sempre outro. E o mundo que o encontra, também. O resultado do encontro entre ambos é, portanto, rigorosamente imprevisível. E o mau hálito pode ter desaparecido. Substituído por fragrância bucal invejável.

Enquanto outros, que impressionaram tão positivamente na hora de escolher o vinho, que dançaram com tanta graça, ritmo e desenvoltura, que levaram ao delírio logo na primeira vez, que enterneceram perdidamente com palavras românticas, que povoaram nossos pensamentos 24 horas por dia, mostraram-se criaturas insuportáveis e entristecedoras.

Desta forma, essa ignorância das causas daquilo que nos acontece de mau nos leva a interpretar as ocorrências do mundo como sinais indicativos da vontade de uma entidade transcendente. Daí surgiram, na perspectiva de Espinosa, superstições, religiões e a teologia. Deus está descontente conosco. Por isso, nossa miséria.

Potência e livre-arbítrio

Dentre as crenças judaico-cristãs, a mais consagrada no discurso moral, já nos tempos de Espinosa, é a do livre-arbítrio. A liberdade da vontade de escolher entre várias opções. É o que permitiria ao homem ser o responsável por sua própria salvação ou perdição. Não fôssemos livres, não poderíamos pecar. Não poderíamos ser julgados e condenados.

O livre-arbítrio pressupõe o poder da razão para controlar os afetos. Para Espinosa, apenas uma ilusão. Que decorre da ignorância das causas verdadeiras, eficientes, materiais que determinam certa ação. Uma construção que coloca o homem acima da necessidade dos fluxos causais da natureza. Um equívoco da imaginação. Para que o homem não fique sem resposta, mesmo quando não sabe – ou não pode saber – por que decidiu viver desta ou daquela maneira.

Para que o livre-arbítrio seja possível, seria necessário que o mundo, todo ele, fosse indeterminado, contingente, acidental. Que as ocorrências não tivessem nada a ver umas com as outras. Que tudo pudesse ser, a cada instante, absolutamente diferente do que é. Seria preciso que o vento pudesse não erodir. Que a pera pudesse não cair, mesmo madura. Que a chuva pudesse chover em qualquer direção. E que Cecília, a cobra cega, pudesse recobrar a visão. Mesmo sem as axilas.

Outra possibilidade seria estabelecer uma fronteira – de difícil fundamentação – entre toda a natureza e o homem. Assim, de um lado, tudo na natureza seria necessário. Determinado. Como só poderia ser. Vítima de suas causas materiais. Sem liberdade e sem arbítrio. E, de outro lado, só o homem, apenas ele – talvez por ser filho de Deus, parecer com ele e, por isso, estar meio fora, ou acima, dos nexos de causalidade – ser indeterminado. Flutuante. E, por isso tudo, de arbítrio livre. Indeterminado. Autodeterminado. Criador de si mesmo.

Um exemplo. Desde que me lembro, há na televisão reportagens sobre o mundo animal. Nelas, o que vemos, é um matando o outro. E o que se diz é que na natureza os bichos matam por necessidade. Não poderiam fazer diferente. Ninguém, em bom-senso, julgaria um leopardo por atacar e matar um veadinho. Mas o homem, filho de Deus e, portanto, livre, pode matar ou não. Desaparece a necessidade. Fosse leopardo, mataria sem mais. Sendo homem, é livre para não fazer.

– Ora, faz sentido, diz o leitor. A vida do leopardo é regida pelo seu instinto. Enquanto que a vida do homem, não. Por que Espinosa veria aí apenas ilusão?

Porque, na sua perspectiva, a ação do homem é tão determinada pela natureza quanto a do leopardo. E se, porventura, ele não mata, não é porque livremente deliberou assim. Mas porque no enfrentamento entre a satisfação e a insatisfação trazidas pela cogitação da morte do outro, triunfou a segunda. Como numa soma de vetores de sentidos opostos. E, tão inexorável quanto o resultado do enfrentamento, é a decisão de poupar a vida alheia. Placar da disputa.

Mas quem decidiu não tem como saber o que aconteceu. O que o levou a decidir. As causas afetivas da decisão. As variáveis emocionais que participaram daquele momento decisório. Conclui, então, por uma causa fictícia. A liberdade. De ter escolhido o melhor, pela própria vontade. Como se o mundo tivesse começado ali – com a sua decisão – e nada existisse antes que fosse determinante. Para não ficar com a sensação desagradável de ignorar porque age como age. Como se fosse autor original da própria vida. Marco zero de sua existência. Criador de si mesmo. Um Deus em miniatura.

Até aqui, o mundo não parou de nos afetar. Mas você leitor, tanto quanto tudo que existe, não deixa barato. E também age sobre o mundo. Afeta o mundo. Faz com que seja como é. Porque o mundo não seria como é se você não fosse, e o transformasse ininterruptamente.

Impossível seria não afetá-lo. Não impactá-lo. Para usar o jargão da moda. Isso implicaria não entrar em relação. O que, por sua vez, só seria possível na inexistência de um dos dois: ou a nossa ou a do mundo. Mas enquanto estivermos por aí e o mundo também, acabamos por nos determinar reciprocamente.

Como não impactar? Mesmo que você fique parado num descampado, o vento que normalmente passaria por onde você está tem que desviar. Por sua causa. E o mundo, por isso, foi diferente do que teria sido se você não fosse, se lá não estivesse. O ar, que por sua vez encontrou você, fez de você outro. Erodido pelo atrito. Resfriado pelo contraste de temperatura. Refrescado pelo calor que sentia.

Assim, nossa vida pressupõe um conjunto complexo de relações entre distintas unidades de real. Relações entre as partes que nos constituem e relações entre nós, que também somos parte, com outros corpos. Assim, quando alguém nos pergunta pela vida, se vamos bem, o que pretendem saber é o que estamos sentindo diante de todas essas relações que nos constituem.

Quando somos afetados pelo mundo, com consciência ou não desse afeto, o que exatamente o mundo transforma em nós? Tudo, evidentemente. Seria estranho se – nas relações que mantemos com o mundo – nos fosse poupada alguma parte. Uma perna, por exemplo. Que sem ser afetada, não se transformaria. Não envelheceria. Uma perna eterna. Imortal.

Ora, se tudo muda em nós o tempo todo, o que sobraria de nós em nós mesmos? Pois bem. Nada. Era a resposta que você temia. Por isso, talvez, tenhamos que admitir, de uma vez por todas, que, se quisermos continuar defendendo a existência de algum eu, que seja em trânsito. Fugaz. Um deixar de ser.

Mas, em toda essa fugacidade, o que mais importa para a vida é que, pelo fato de sermos afetados no todo, também não permanece a nossa própria essência. Aquilo sem o que não viveríamos. Nossa potência de agir.

Potência de agir

Não vamos propor complicadas definições. O leitor sabe do que estou falando.

Acordo sem despertador. Em torno das 5h da manhã. Quase sempre por necessidades urinárias. Por desgraça, isso também acontece nos finais de semana. Sento-me na cama. Minha potência de agir neste momento é muito baixa. Levanto-me, assim mesmo. A higiene pessoal e uma ducha melhoram a situação. A potência aumenta um pouco.

Como tenho tempo, aproveito para ler o jornal e tomar café com calma. E, pouco a pouco, a potência de agir sobe mais. Em torno das 7h, entro no carro e me dirijo à Cidade Universitária. Seus jardins, a distância entre os edifícios, o fluxo dos alunos a caminho de suas atividades acadêmicas, tudo isso aumenta ainda mais a minha potência.

Chego à faculdade onde leciono. Meus alunos me esperam. São ótimos, atenciosos, dedicados, cordiais. Por isso, não raro, no meio da manhã, encontro-me esbravejando na teatralização de um exemplo. Tentando todas as fórmulas didáticas que minha intuição sugere. Neste instante, minha potência alcança o seu pico. Potência máxima.

Mas nem sempre é assim. Muitos e diversificados são os encontros apequenadores de potência. O real é criativo para agredir. A miséria humana que flagramos por todos os meios constitui bom exemplo. Não vou me alongar. Se me dispusesse a exemplificar mundos que nos roubam potência, o livro não chegaria ao fim.

Mas por que alguns mundos, quando encontrados pelo nosso corpo, produzem o efeito de alavancar nossa potência e outros mundos, o efeito contrário?

Nosso corpo, num instante de existência no mundo, é radicalmente singular. Nada será absolutamente igual. Portanto, toda a relação que mantemos é com o diferente, com o resto do mundo. Como já dissemos, o mundo com o qual nos relacionamos nos transforma. Por isso, podemos inferir que, na relação, esse mundo determinou em nosso corpo uma passagem, do que éramos para o que nos tornamos. Como estamos sempre em relação, nosso corpo está ininterruptamente passando de um estado a outro.

Ora, estas passagens, que nos constituem, instante a instante, não se equivalem. Podem ser valoradas. A partir de um critério: nossa essência, nossa potência de agir. Algumas passagens são boas, outras más. São boas quando passamos de um corpo menos potente para outro mais potente. Será má, ou ruim, a passagem no sentido contrário. Quando o resultado final da relação determinar perda de potência em nosso corpo.

E essas passagens têm nome. Quando são boas, e com elas ganhamos potência, denominam-se alegria. Quando são ruins e implicam perda de potência, denominam-se tristeza. Assim, o mundo é bom quando alegra. E ruim, quando entristece. E mais: como a potência é nossa essência, a alegria nos aproxima de nossa essência, portanto, de nossa perfeição. Enquanto que a tristeza nos rouba potência. E, portanto, o que nos é essencial. Distanciando-nos de nós. De nossa perfeição.

Assim, o leitor vai a um bar, solitário. Encontra mulher de exuberante topografia. Que o acolhe com um lindo sorriso. Aproxima-se e sentencia:

– Encontrá-la alegrou-me.

Ela, surpresa, pergunta o que você quis dizer com isso. E você, com leveza, explica:

– Contemplá-la determinou em mim a passagem para um estado mais potente e perfeito do meu ser.

Mas por que certos mundos nos alegram e outros nos entristecem? Um corpo é afetado por outro de alegria quando compõe bem com ele. Quando se integram. Inversamente, haverá tristeza quando o mundo encontrado decompuser. Desintegrar.

Assim, o encontro com uma rabada, num almoço, pode alegrar. Isto acontece quando a rabada degustada compõe com quem a degustou um todo de maior potência. Neste caso, você afirma que a rabada está deliciosa. Que aquilo é que é rabada. Mas o contrário pode acontecer. E eu sei bem disso. Uma rabada pode entristecer. Decompor. Desintegrar. Manter relação lesiva. Danosa. Neste caso, diremos que a rabada que comemos em tal lugar estava estragada e por isso fomos parar no hospital.

Potência e resistência

Alegria tem a ver com vida boa. Tristeza, com o seu contrário. E nós? Somos natureza. Parte dela. E na matemática geométrica dos afetos, não passamos de um esforço pela potência. Uma resistência contra tudo que apequena, que entristece. Porque tudo o que é, reafirma sua essência. E a nossa, lembramos, é a nossa potência. Podemos dizer que somos orientados por um movimento natural de insistência na própria existência.

Por isso, existir é insistir. Nada fazemos sem afirmar-nos no mundo. Tudo o que é, todo o ser, esforça-se, na medida em que pode, para continuar a ser. Esforço que Espinosa vai nomear *conatus*. Todos os seres são dotados necessariamente dessa força interna de autopreservação. Eis a sua essência.

Mas, e a morte? A morte vem de fora. A morte decorre de uma particular existência no mundo. De encontros que nos superam. De combinações de forças que nos vencem. E o que seria preciso para sermos eternos? Ora, só não morreríamos se não perdêssemos potência. Se não entristecêssemos. Se todos os encontros fossem alegres. Quando, ante qualquer mundo, compuséssemos bem.

Outra saída para não morrer seria não encontrar. Não se relacionar. Não se deixar afetar. Mas para isso seria preciso ou que o mundo não existisse, ou que nós não existíssemos nele. Mas o mundo tem que existir, porque nossa existência de parte depende da existência do todo. Quanto a nós, bem, podemos deixar de existir. Mas, neste caso, perde um pouco o sentido a discussão sobre não morrer.

Potência de pensar

Esse esforço é do corpo, que luta pela alegria o mais que pode. Mas é também da alma. Esforços em paralelo. Do corpo e da alma. Formas diferentes de manifestação da mesma substância. Sem oposição possível entre eles. Sem juízos e condenações morais dos apetites. Porque se você, caro leitor, costuma se alegrar com alguma coisa, quando seu corpo efetivamente a encontra, também se alegrará em nela pensar.

> Proposição 11. Escólio. Vemos assim, que a mente pode padecer grandes mudanças, passando ora a uma perfeição maior, ora a uma menor, paixões essas que nos explicam os afetos da alegria e da tristeza. Assim, por alegria compreenderei, daqui por diante, uma paixão pela qual a mente passa a uma perfeição maior. Por tristeza, em troca, compreenderei uma paixão pela qual a mente passa a uma perfeição menor (ESPINOSA. *Ética*).

Vale para uma estagiária nova, que acaba de ser admitida no escritório. Quando seu corpo a encontra, sua potência de agir aumenta. E, na solidão da alcova, a alma que nela pensa se alegra também. Aumenta a sua potência de pensar. Na defesa da sua potência, companheiro leitor, corpo e alma jogam em equipe. Solidários. Na gíria futebolística, um cobrindo a descida do outro.

No entanto, nossa alma tem limites. Não consegue perceber nada no mundo senão por intermédio de um afeto sofrido pelo próprio corpo. Não percebe outro corpo em ato, na sua própria potência. Por isso, todo contato com o mundo é sempre mediado pelo nosso corpo. Pela maneira como é afetado. E assim imaginamos o mundo. Sempre a partir dos afetos.

Um exemplo. Quando você contempla um bolo em uma doceira. O que é o bolo com o qual você já está em relação? Nossa alma não tem o que fazer, a não ser a partir de como o bolo vai afetar nosso corpo. O bolo é, para nós, na estrita medida em que nos afeta. Visual, olfativa e palatalmente. Porque o bolo, nele mesmo, sempre nos será inacessível.

Apesar de todas essas limitações, continuaremos nos esforçando ao máximo para pensar em coisas que aumentem a potência de agir do nosso corpo. Mas você sabe que esse esforço nem sempre é bem-sucedido. Porque, da mesma forma, que não controlamos completamente o que acontece nos encontros do nosso corpo com outros, também não controlamos completamente a produção intelectiva de nossa alma.

Controlamos um pouco. Mas não tudo. Assim, podemos nos dispor a resolver uma equação do segundo grau. E resolvê-la. Ou a elaborar um planejamento corporativo para o ano vindouro. Ou redigir uma sentença. E nossa mente agirá com este fim. Mas, tão logo começamos a tarefa, outras ideias podem sobrevir. Na melhor das hipóteses, a estagiária, a aluna sorridente ou um filme engraçado a que assistimos. Mas isto, na melhor das hipóteses.

Porque o que passa pela nossa cabeça pode nos entristecer mesmo. Apequenar nossa potência com os dois pés. Você sabe disso. Às vezes estamos bem, nada aconteceu diante de nós, e por conta de algum pensamento, nossa potência míngua. E muitos de nós – não conheço você leitor, mas falo de mim – quando entristecemos assim, denunciamos o apequenamento em cada gesto. Em cada músculo da face. Péssimo jogador de cartas.

O que nos ensina Espinosa é que toda vez que algum pensamento deste tipo nos acomete, nossa alma se esforça o máximo que pode para pensar em outra coisa. Porque pensando em outra coisa, obviamente deixamos de pensar, nem que seja por alguns instantes, naquilo que nos entristecia.

Seu time perdeu o campeonato para o maior rival. As cenas do jogo não saem da sua cabeça. Acredite, há um esforço para retirar o futebol de onde está. Claro que esse esforço tem que ser positivo. Ou seja, não pode haver esforço simplesmente para deixar de pensar. Haveria uma lacuna absurda. Por isso, o esforço é sempre por pensar em outra coisa. Desta forma, indiretamente, exclui-se o que entristece.

E minha tia, 96 na época de minha adolescência, espinosana de carteirinha e fundadora do comando de caça aos idealistas de Bagé, tentava me consolar:

— Para esquecer um amor de chifre, nada melhor do que outro. De preferência sem chifre, desta vez.

Porque para tirar da mente — ou da alma — o que entristece, vale tudo. Vale recordar de coisas que excluam a existência das entristecedoras. Porque somos afetados pela imagem de um corpo flagrado no passado do mesmo afeto de alegria ou de tristeza de que somos afetados pela imagem de um corpo flagrado no instante presente.

E, assim vamos: em luta pelos encontros alegres de nosso corpo com o mundo; por evitar os tristes; por imaginar coisas que aumentam a potência de agir do corpo e a potência de pensar da alma; bem como por evitar as imaginações que enfraquecem, que refreiam a ambos. A vida que vale a pena ser vivida aqui é quando isso tudo dá certo. Quando ganhamos potência. Quando nos aperfeiçoamos. E você continuará lutando por ela. Luta que você sempre travou. Desde o nascimento. E continuará travando. Até a morte.

Não é suficiente? Engano seu. É o que é. O que pode ser. Talvez não baste para conseguir uma vida feliz. De alegria em alegria. Mas isso, não é mesmo possível. Porque a tristeza, essa faz parte. E lutar contra ela, também. Quanto à morte, também é o que é. O placar da luta. O triunfo inexorável dos afetos tristes contra nossa insistência na existência.

7
Vida útil

Ao longo da vida, somos cobrados o tempo todo. Aqueles que nos cobram esperam algo de nós. Hoje, a editora me deu só mais 10 dias. Para acabar de uma vez com essa vida que vale a pena. Nos tempos de escola, tinha que tirar uma nota acima da média. E a média era 7,0. Para não pegar exame, como dizíamos. Em algumas disciplinas disputava prêmios. Excelência de resultados.

Na natação, a medalha de ouro era a pretendida. Quando raramente alcançada, rendia algum elogio paterno. No vestibular, tinha que entrar na universidade pública. Para isso, era preciso superar a nota de corte na primeira fase. Para, na segunda, triunfar sobre os concorrentes remanescentes. Nem sei se o procedimento ainda é esse.

Uma vez na faculdade, a média baixou para cinco. Mas quem não fizesse estágio estava condenado a uma vida distante do mundo real. De indolência e fracasso. Porque nunca mais arrumaria colocação. Novo processo seletivo. Para, depois, lutar pela efetivação. Ou prestar um concurso público. Melhor ainda. Porque vencida a barreira, a estabilidade é recompensadora. Começa, então, a carreira, propriamente dita. E tudo isso vai depender das metas, *targets*, *goals*, objetivos, resultados etc.

O resultado de cada etapa discrimina vitoriosos de fracassados. Incluídos de excluídos. Recompensa com aplauso o último dos aprovados e com desdém o primeiro dentre os reprovados. E a vida vai sendo julgada. Em função da eficácia. Da produção de efeitos no mundo. Que coincidem ou não com as expectativas de quem nos julga. Com o que esperam de nós. Do quanto lhes somos úteis.

E essa utilidade tornou-se critério hegemônico para a identificação da vida que vale a pena ser vivida. Invocado em toda a parte para premiar e punir. Utilidade que também encontra abrigo no pensamento filosófico. No utilitarismo moral.

Utilidade e utilitarismo

Utilitarismo é termo derivado de útil. De utilidade. Sei que ficou embasbacado com esta afirmação. Não é sempre que arranco com inferência tão surpreendente. Um verdadeiro *insight*. Mas se a vida que vale a pena ser vivida é uma vida útil, em que consiste exatamente essa utilidade?

Preste atenção agora, querido leitor. A noção de utilidade é central neste capítulo.

Identificar a utilidade de uma coisa implica investigar fora dela, focar no resto, no outro, no que ela não é. Porque a utilidade de qualquer coisa nunca está nela própria. Mas em corpos sobre os quais age e produz efeitos.

E você, leitor, franze o cenho e olha torto para a página. Roga por mais concretitude. Não seja por isso.

Quando nos perguntamos sobre a utilidade de um colírio, respondemos que o mesmo é útil para limpar os olhos; sobre a utilidade de um liquidificador, aniquilar a forma original de uma cenoura; sobre a utilidade de uma aula, alargar o repertório do aluno; sobre a de um romance, entreter o leitor. Ora, o olho em relação ao colírio, a cenoura em relação ao liquidificador, o repertório do aluno em relação à aula, o entretenimento do leitor em relação ao romance conservam algo em comum. A exterioridade.

– Muito bem. Já aprendi que a utilidade de um colírio está no olho. No efeito de limpeza que produz sobre ele. Na transformação que nele enseja. Mas, então, em que medida esta exterioridade da utilidade das coisas nos permite discernir alguma vida boa?

Utilidade e consequencialismo

Como já vimos, nossa vida é feita de relações que mantemos com as coisas do mundo. Nestas relações, importa refletir e atribuir valor a nossas ações. Sobretudo as deliberadas. Na perspectiva utilitarista, da mesma forma que a utilidade do colírio não está nele – mas no olho a ser tratado – o valor moral de uma ação não está nela. No que fazemos. Ou no que dizemos. Não lhe é imanente, portanto. O valor de qualquer ação encontra-se fora dela. No mundo sobre o qual age.

Assim se tomarmos como exemplo minha aula na universidade. Um calouro sempre indagará um veterano:

– E aí, a aula dele é boa? Vale a pena?

Para os utilitaristas, essa resposta importa muito. Porque o valor da aula não está no que digo. Na didática. No encadeamento dos assuntos. E em nada que lhe for imanente. Mas sim nos alunos. Na medida em que foram afetados. Transformados. Instruídos. Preparados.

Da mesma forma, o valor do resto da vida – que não é aula – também não está nela. Mas nas transformações que aquele que vive enseja no mundo. Por isso, para julgar a vida à moda utilitarista, há que se considerar tudo que o vivente se dispõe a afetar. Todas as transformações que pretende determinar no mundo. Afinal, segundo esta perspectiva, é só para mudar o mundo que agimos.

Assim, quando alguém lhe perguntar:

– E aí! Como vai a vida?

Você poderá responder:

– Sei lá. Diga você, que é exterior a mim. Afetado por mim. Que resulta da minha presença. Que é efeito da minha existência. Porque eu mesmo não posso saber.

Quando dizemos que o valor de uma conduta não está nela, isto inclui tanto seus aspectos objetivos quanto subjetivos. O que há de objetivo na ação? Aquilo que o agente faz, propriamente. A materialidade da conduta. Seu deslocamento efetivo, sua intervenção. Já vimos que, para os utilitaristas, o valor da ação não está aí. Nem no movimento do corpo. Nem nas palavras ditas.

E de subjetivo? É a intenção de quem age. O que o agente pretendia que acontecesse. Pois o valor da ação tampouco se encontra nesta intenção. Não depende de boas ou más intenções. Por isso, não é por não querer que algo aconteça, que me encontro isento de responsabilidade. Afinal, com ou sem intenção, minha ação foi determinante para o acontecimento.

– Bem, até aqui ficou claro onde o valor não está. Não está nem no que o agente faz, nem no que pretendia com o que fez. Estará onde, então?

Venha leitor, que o momento é sublime. Para os utilitaristas, o valor de qualquer ação está nas suas consequências. É a partir do efeito que uma ação enseja no mundo que eu poderei identificar o seu valor. Ou seja, só saberemos se o agente agiu bem ou mal quando considerarmos o que efetivamente aconteceu a partir desta ação.

Da mesma forma que, para saber se o colírio foi útil tenho que verificar o efeito que produziu nos olhos em que foram pingados. Assim, tanto para uma conduta quanto para o colírio, alguns efeitos, ditos úteis, permitirão concluir que a ação foi boa e outros, ditos inúteis, o contrário.

– Mas o que devo ensejar no mundo para que possa concluir ter agido bem? Ou como um canalha? O que significa, afinal, agir utilmente?

Utilidade e bons efeitos

Poderíamos propor, estimado leitor, que o efeito bom para qualquer ação é permitir a quem age obter o que pretendia. Neste caso, agiria bem aquele que determinasse no mundo um efeito coincidente com o que pretendia quando deliberou por aquela ação. Agiria bem aquele que se desse bem. Que conseguisse o que queria. Que alcançasse as próprias metas. Que se julgasse vitorioso.

Mas, não é essa a concepção utilitarista. Porque aqui, o bom efeito não é o sucesso de quem age. E sim, a alegria do maior número de afetados pela ação. Princípio da utilidade como fundamento da moral. Proposto pelo jurista inglês Jeremy Bentham. Segundo o qual, na deliberação entre várias condutas ou políticas sociais, devemos optar pelas que ensejarem melhores consequências para todos os envolvidos.

> Por princípio de utilidade entende-se aquele princípio que aprova ou desaprova qualquer ação, segundo a tendência a aumentar ou a diminuir a felicidade da pessoa cujo interesse está em jogo, ou, a mesma coisa em outros termos, segundo a tendência que promove a referida felicidade ou se opõe a esta (BENTHAM. *Introdução ao princípio da moral e da legislação*).

Em outras palavras, a ação boa é a que promove o maior bem-estar para o conjunto das pessoas. Desta proposta, três inferências são imediatas.

Primeiro, que as ações são julgadas certas ou erradas somente pela virtude de suas consequências. Nada mais importa. Segundo, que a única consequência que permite atribuir à ação que lhe ensejou um valor positivo ou negativo é a quantidade de bem-estar que dela decorre. Todo o resto é irrelevante. E terceiro, que o bem-estar de cada uma das pessoas afetadas pela ação – incluindo o próprio agente – tem o mesmo valor.

Em suma, a felicidade é o critério em função do qual podemos afirmar que uma ação é moralmente correta, aceitável, elogiável ou incorreta. Serão justas ou injustas na medida em que constituírem meios adequados para esse fim. Assim, o utilitarismo define a moralidade de um ato pela felicidade que dele advém.

Utilidade e finalismo

Além do consequencialismo – fundado na felicidade do maior número – as reflexões utilitaristas inscrevem-se numa moral finalista. O leitor se lembrará dos gregos. Para eles, tudo no universo tem uma finalidade. Porque a natureza não faz nada em vão. Assim, dentre as consequências ou efeitos da ação a ser deliberada ou valorada, servem como critério aquelas que dizem respeito a uma suposta finalidade do agente.

Desta forma, nossos objetivos ou fins mais imediatos só se legitimam por outros, menos imediatos, só alcançáveis a partir daqueles. Estabelece-se, assim, uma pirâmide ordenada de finalidades. Os fins supremos, cuja legitimidade não é demonstrável, justificam em cascata todos os demais.

Assim, alimento-me para conseguir trabalhar; trabalho pelo salário; com o dinheiro vou viajar; viajo para comprar livros; compro livros para os ler; leio para alargar meu repertório; alargo meu repertório para... bem, espero que não seja só para dar aula. Porque neste caso voltaríamos ao início do exemplo e estaríamos presos num ciclo fechado em si mesmo.

Para evitá-lo, o utilitarismo prevê fins supremos. Que não valem para nenhum outro. Por serem supremos. E, por isso, justificam-se por si mesmos. Ainda que indemonstráveis.

> *As questões relativas aos fins supremos não comportam prova direta. Para provar que uma coisa é boa, é preciso necessariamente mostrar que esta coisa é o meio para alcançar uma outra, cujo valor admitimos sem prova. Provamos que a arte médica é boa porque busca a saúde. Mas será possível demonstrar que a saúde ela mesma é boa? A arte musical é boa porque, entre outras razões, causa prazer. Mas que prova fornecer para demonstrar a bondade do prazer? Desta forma, se fornecemos uma fórmula de ação ampla que compreenda todas as coisas boas por elas mesmas, e que todas as outras coisas só serão boas como meios para estas e não como fins, esta fórmula pode ser aceita ou rejeitada, mas não provada, no sentido ordinário do termo (MILL, J.S. Utilitarismo).*

A preocupação utilitarista vai além do que acontece com você, caro leitor. Importa a felicidade dos outros. De muitos outros. Estavam convencidos de que a vida de cada um, como a sua e a minha, só poderia valer a pena se os que nos cercam pudessem também viver dignamente.

De que por maiores que fossem nossos esforços no sentido de uma evolução pessoal, a tristeza dos demais contaminaria nossa existência. Por isso, seus autores sempre propuseram medidas de eficácia ampla. Programas de política social. Com clara pretensão reformista.

Utilidade e Reformismo moderado

– Mas que tipo de reforma concreta defendiam esses utilitaristas? Pelo que eu entendi, a felicidade do maior número pressupunha, para eles, uma sociedade melhor. E se a sociedade não fosse melhor, seria difícil a vida valer a pena. É mais ou menos isso ou eu estou viajando?

Leitor, melhor impossível. É exatamente o que eles achavam. Para que tudo isso acontecesse, propunham mudanças na moral em vigor. Preocupavam-se em resolver concretamente – como você gosta de dizer – problemas morais em vez de simplesmente refletir sobre eles.

Empenharam-se em sugerir um novo procedimento de deliberação moral. Retirando-a das divagações estéreis sobre os valores e aproximando-a das decisões políticas. Por intermédio das quais a dor de muita gente pudesse ser diminuída. E, para os mais ambiciosos, o prazer aumentado. Nesse sentido, os utilitaristas reaproximam, na modernidade, a filosofia moral da filosofia política, separadas desde Aristóteles.

Bentham, por exemplo, defendia a criação de uma organização internacional que assegurasse a paz mundial; a emancipação das colônias; a criação de um tribunal internacional regulador das disputas entre as nações; a criação de uma fraternidade dos Estados europeus; o desarmamento; a melhora das condições de vida nas prisões; a limitação do uso da pena de morte; a proibição das punições corporais nas escolas; programas de trabalhos públicos em períodos de grande desemprego; prevenção de crueldades contra animais; políticas públicas de saúde, com grandes investimentos em pesquisas científicas e a criação da caderneta de poupança.

O leitor já enfadado com a longa lista percebe a estrita atualidade das preocupações do autor. Mas o que mais nos importa aqui não é a eventual pertinência de cada proposta. E sim, a iniciativa de buscar, por intermédio de uma grande transformação social, vida melhor para muita gente. Para o maior número possível. Em nome de um bem comum. E não só para dois ou três ilustrados filósofos.

Na mesma linha de transformação, os chamados socialistas utópicos elaboraram planos detalhados de sociedades futuras que correspondiam ao ideal do maior bem-estar comum. Dentre eles citamos Henri de Saint-Simon, Charles Fourier, Victor Considérant, Robert Owen e Étienne Cabet. Alguns desses chegaram a implantar concretamente as instituições concebidas.

Assim, Owen abriu, com o apoio econômico de Bentham, uma manufatura que hoje denominaríamos sustentável. Respeitadora do impacto ambiental, da limitação do trabalho infantil e da educação para os trabalhadores no próprio local. Podemos supor as reais condições de trabalho da época, 1815, pelo teor de sua proposta de regulamentação do trabalho na indústria. Previa a proibição de contratação de crianças com menos de 10 anos e a restrição da jornada de trabalho infantil – entre 10 e 18 anos – a dez horas e meia. Propostas vitoriosas naquele momento de luta.

Observemos, no entanto, que o utilitarismo, embora transformador, nunca propôs uma reforma radical das estruturas sociais. Ou seja, nunca converteu-se num movimento revolucionário ou visceralmente subversivo. Eis o paradoxo. Todo utilitarista, ainda que inconformado, propunha grandes mudanças nas já estabelecidas estruturas sociais.

– Mas ainda que buscasse apenas reformar o sistema, suas propostas eram louváveis, não acha?

Caro leitor. O valor de uma proposta, no utilitarismo, nunca está nela mesma. Mas no que aconteceu concretamente no mundo em função da sua implementação. Portanto, esta lista de reformas, enquanto tal, não tem valor algum. Poderemos julgá-la se, quando adotadas, tiverem trazido efetiva melhora na vida do maior número. Em outras palavras, a pertinência de todas essas reformas dependerá de sua real eficácia, muito mais do que sua racionalidade intrínseca ou da grandeza dos propósitos que as motivam.

Tomemos, por exemplo, a campanha eleitoral de um candidato ao governo. Ela pode ser julgada por ela mesma. Pela sua lisura. Pela pertinência das propostas. Pela coerência entre elas. Pelo respeito aos demais candidatos. E outras características suas. Neste caso, o valor da campanha não depende da eleição do candidato. Do resultado da campanha, que pode ter sido fantástica mesmo levando o candidato à derrota. Esta não é a perspectiva utilitarista.

– Muito bem. Já entendi que o valor de qualquer iniciativa é relativo ao sucesso ou fracasso da mesma. Mas como saber que essa iniciativa foi bem-sucedida? O que temos que ensejar no mundo para ter a certeza de ter agido bem? Que consequência pode justificar uma conduta qualquer?

Utilidade e altruísmo

A resposta, genericamente comum a esses pensadores, é a felicidade do maior número. A melhor conduta é a que fizer advir maior felicidade ao maior número de envolvidos ou afetados por ela. Entenda-se pelo maior número a todos aqueles que tiverem sua trajetória afetiva direta ou indiretamente redirecionada por conta da conduta, objeto de valoração.

Primeira conclusão: contrariamente ao que você e eu poderíamos pensar a partir do uso coloquial do termo utilitarista, a moral por eles proposta não é egoísta. Afinal, a felicidade – critério da valoração moral – não é a do agente, ou só a do agente, mas a de todos os afetados. J.S. Mill diria que o ideal utilitarista é a felicidade geral e não a felicidade pessoal. Insisto nesse ponto porque sem ele não se faria uma ideia justa da utilidade ou da felicidade considerada como a regra diretiva da conduta humana.

– Isso é muito interessante. Meu pai sempre me dizia: você é um utilitarista. Só pensa em você. Estava equivocado o velho. No conceito, claro. Não na análise do meu comportamento.

Grande leitor. Quanta perspicácia. A utilidade é, assim, associada, não apenas à conservação de si, ou da própria potência, nem à busca de segurança pelo medo da morte violenta, mas ao princípio de uma felicidade para todos, ou ao menos para o maior número.

– E como eu faço para viver à moda utilitarista?

Seguindo este fundamento, em qualquer deliberação, para a escolha da vida de carne e osso, o agente deverá sopesar, dentre as condutas cogitadas, aquela que promoverá maior saldo de felicidade coletivo. Cada afetado – e o próprio agente é um deles – deve ser considerado de forma equivalente.

Assim, de acordo com o "termômetro moral" de Bentham, cada um deve contar por um, e somente por um. Isto é, todos os eventuais afetados devem ser respeitados e considerados igualmente, pouco importando o sexo, a cor da pele, o país de origem, a nobreza familiar, idade ou riqueza. E a felicidade do agente é só mais uma no meio da dos demais.

Assim, quatro são as possibilidades de consequência de uma ação: na primeira, a ação enseja a felicidade do maior número e também do agente. Neste caso, seu valor é – pelos dois motivos – positivo. Na segunda, a ação enseja a tristeza do maior número e também do agente. Seu valor é negativo. Na terceira, a ação enseja a felicidade do agente, mas a tristeza do maior número. Negativa, para os utilitaristas. Mas aplaudida pelos egoístas morais.

Na quarta, a ação produz tristeza para seu agente e alegria para o maior número. Agente que abre mão daquilo que supõe vai alegrá-lo em nome da alegria de mais gente. Esse caso é o que mais nos interessa. Revela com clareza a sutileza da moral utilitarista. Que condena seu agente a agir na contramão de seus apetites. No caso deles não coincidirem com o interesse da maioria.

– Como poderíamos agir na contramão da própria potência?

Seria preciso que tivéssemos em nós uma soberania deliberativa frente aos apetites do corpo. Algo, portanto, que transcendesse a materialidade corporal e suas inclinações. Exigência que aproxima o utilitarismo de todas as correntes idealistas da filosofia moral.

– Mas para que eu abrisse mão de bom grado da minha felicidade em nome da felicidade de mais gente, eu precisaria pelo menos ter certeza de que a ação que vai me entristecer vai de fato alegrar o maior número. E eu não sei se posso ter esta certeza. Como avaliar essa felicidade do maior número?

Utilidade e avaliação da felicidade

Para Bentham e Mill, esta avaliação que você, leitor, me cobra só poderia ser feita com alguma precisão através da equiparação da mesma ao prazer. Ou à ausência de dor. Só o prazer seria quantificável. Definiam prazer como estado afetivo agradável. Decorrente da satisfação de um desejo ou de uma inclinação do corpo. Do exercício harmonioso de uma atividade.

Façamos, então, a conversão sugerida: da felicidade ao prazer. Agora, o princípio supremo da moralidade utilitarista passa a ser maximizar o prazer e minimizar a dor. De todos os afetados por nossas ações. Concorde comigo, caro leitor, decidir sobre a vida, instante a instante, tornou-se tarefa bastante trabalhosa. Em primeiro lugar, é preciso delimitar o universo de afetados. Em seguida, antecipar os efeitos prazerosos e dolorosos de todas as condutas aventadas. Em cada um dos afetados.

– Mas isso é insano.

Imagine, caro leitor, se eu como professor tivesse que escolher o conteúdo de uma aula a partir da premissa utilitarista. A opção seria pelo que trouxesse felicidade ao maior número. Tomemos uma classe de 50 alunos. O cálculo exigiria antecipar os afetos de cada um deles para cada possibilidade de aula cogitada. Só assim, seria possível identificar dentre estas, a que ensejaria maior felicidade ao maior número de alunos.

– Mas como somar os afetos dos alunos, comparar suas alegrias e tristezas?

Não há consenso entre os utilitaristas para te responder. Para Bentham esse cálculo só é possível se desconsideradas todas as singularidades qualitativas dos prazeres. Pela adoção, portanto, de critérios puramente quantitativos. Como intensidade e duração dos mesmos.

Nessa *aritmética dos prazeres* proposta por Bentham, é preciso que essas sensações presumidas, decorrentes das ações cogitadas pelo agente em deliberação, sejam somáveis, isto é, sejam pertencentes à mesma espécie. Isso permitiria o uso de uma unidade de medida, de um padrão quantificador. Assim, se tomarmos os prazeres como resultado singular de encontros singulares entre corpos no mundo, a aritmética de Bentham entraria em colapso.

Já para Mill, os prazeres apresentam diferenças qualitativas que devem ser levadas em conta no cálculo utilitarista. O autor propõe uma categorização dos prazeres: aqueles derivados do exercício de nossas faculdades intelectuais ou estéticas são superiores, mais valiosos e distintos dos prazeres inferiores, que compartilhamos com os demais animais.

– Quer dizer que o prazer que tenho ao ouvir uma sinfônica ou ler um artigo bem escrito é superior ao prazer que me proporciona um kibe cru bem preparado?

Esta é a proposta de J.S. Mill. Mas, cabe aqui um esclarecimento. A superioridade – dos prazeres ditos superiores – não está no que você sente. A sensação que enseja a sinfônica não é em si superior àquela que lhe proporciona o kibe cru. Esta superioridade decorre da maior estabilidade e segurança que temos para obtê-los. Assim, os prazeres advindos do uso do intelecto seriam menos inesperados, menos dependentes de variáveis que não controlamos. Assim, é mais garantido o prazer quando saímos de casa para ouvir uma sinfônica do que quando nos dirigimos a um restaurante árabe.

– Vamos ver se entendi. Pelo que você está dizendo, de acordo com esta categoria dos prazeres proposta por Mill, o prazer da leitura do seu livro supera o prazer de um banho num ofurô – banheira japonesa, individual ou coletiva, de água bastante quente – com alguém que nos apeteça muito, por conta da maior segurança em poder antecipar a sensação prazerosa? É isto mesmo, ou entendi mal?

É isto mesmo.

– Caro professor. Seu livro é legal de ler. Suas aulas devem ser agradáveis. Mas esse tal de Mill patina um pouco em alguma arroela. Aprendi com o senhor que não podemos antecipar muito. Que os encontros são todos inéditos. E as sensações que deles decorrem também. Sejam os que requerem o uso das faculdades intelectivas, sejam os outros. Mas se eu tivesse que apostar na segurança de uma sensação prazerosa, entre as páginas que seguem do seu livro, que ainda não li, e o banho no ofurô que imagino tomar, não hesitaria em escolher esta última. E não leve a mal. É que o senhor não viu o naipe do ofurô...

Querido leitor. Não se desculpe. Entendo perfeitamente o que você quer dizer. No seu lugar, também apostaria neste ofurô. E olha que nunca o vi. Mas talvez a preocupação do autor aqui seja outra. Essa distinção entre prazeres superiores e inferiores só se justifica por incidir no processo de deliberação moral. As ações que ensejam efeitos de prazer superior são moralmente mais valiosas do que aquelas que ensejam prazeres inferiores, encontráveis em toda a animalidade. E essas últimas ainda são preferíveis a outras, que ensejam dor.

Assim, para Mill, apesar de sua brilhante intervenção, minha aula supera o ofurô, seja na companhia de quem for.

Utilidade e gerações futuras

– Mudando um pouco de assunto. Hoje, fala-se muito nas gerações futuras. Neste cálculo da alegria do maior número devemos incluir os que não nasceram ainda? Em outras palavras, na deliberação moral, no cálculo do maior bem-estar, ou do bem-estar do maior número, devemos considerar apenas as pessoas que já existem? Seria pertinente considerar também os que estão por nascer?

Entendo sua pergunta. E seu fundamento. Porque de acordo com a lógica consequencialista dos julgamentos morais, estamos obrigados a considerar os efeitos possíveis de um ato junto a pessoas que circulam geográfica, social e economicamente distantes do seu agente. Em outros espaços. Seria lógico aventar a hipótese teórica de incluir neste universo de afetados, indivíduos de outros tempos, de gerações futuras.

Para muitos utilitaristas, desconsiderar os que estão por vir seria uma discriminação indevida. Afinal, só se diferenciam de nós por terem nascido mais tarde. Com consequências morais evidentes para nós. Assim, o valor moral da fabricação de um produto que produziria danos às gerações futuras deve ser o mesmo valor da fabricação de um produto que produz o dano em seres humanos hoje.

Na ótica utilitarista, inscrevem-se nessa preocupação com as gerações futuras todas as decisões envolvendo energia nuclear, estocagem de dejetos perigosos, preservação de lugares naturais, exploração de recursos não renováveis, déficits orçamentários dos governos, e muitas outras.

No entanto, a avaliação das consequências das ações sobre gerações futuras não é tarefa fácil. A diversidade de variáveis torna a reflexão complexa. Talvez incompatível com a necessidade imperativa de agir para existir. Não podemos saber exatamente quais serão as necessidades humanas no ano 5000. Ignoramos as epidemias que colocarão em risco o homem nos próximos séculos. Portanto, ignoramos necessariamente quais pesquisas são as adequadas para evitar mais eficazmente tais epidemias. Cujos atributos e alcance desconhecemos.

Apesar de toda esta dificuldade, é inegável que temos a responsabilidade por um patrimônio que nos foi legado por gerações passadas e influenciará as futuras. Somos herdeiros de um saber prático que nos permite deliberar não só em função do que estimamos causará a felicidade hoje, mas também a dos que estão por vir. Para Mill, tivemos muito tempo – para pensar nestas consequências, já que tivemos um tempo igual a todo o passado da espécie humana. A discussão entre utilitaristas e seus críticos sobre as gerações futuras está só começando. E é de estrita atualidade.

– Você acha que os chineses que, há mil anos, enterraram os ovos que comemos hoje, são precursores remotos do pensamento utilitarista? Estariam preocupados com a alimentação das gerações futuras?

Não sei.

Querido leitor, mais um capítulo vai chegando ao seu final. E no mundo de hoje, neste em que vivemos você e eu, constatamos que o jeito utilitarista de valorar a vida continua muito na moda. Sobretudo, porque se não conseguirmos alcançar pelo menos alguns resultados que esperam de nós, poderemos até fazer de conta que não estamos nem aí. Mas o mundo nos lembrará, a cada instante, que não passamos de insignificantes fracassados. E se teimarmos em dar de ombros, é possível que nos condenem a privações em série. Porque viver de maneira minimamente eficaz não é propriamente uma escolha. É condição de aceitabilidade, de pertencimento e convivência aprazível.

8
Vida moralizada

O título do capítulo intriga. Mas sua questão central é simples. O que a moral tem a ver com a vida boa? Até que ponto é pertinente dedicar – num livro sobre a vida – um capítulo inteiro à questão moral?

Na resposta a essas perguntas, discordo de quase todo mundo. Primeiro, daqueles que acham que tudo na vida é uma questão de moral. Porque a vida vivida num lugar onde todos se respeitem será necessariamente boa. Mas discordo também dos que consideram a moral como completamente irrelevante na busca de uma boa vida. Por isso, nesta introdução, limito-me a apresentar meu ponto de vista: a moral importa para decidir sobre o que fazer da própria vida. Mas está longe de dar um jeito em todos os nossos problemas existenciais.

No que diz respeito à importância da moral para uma vida boa, suponho que você leitor pense como eu: a vida vivida num lugar onde todos se respeitam e se preocupam com os demais tende a ser melhor do que em outro onde cada um simplesmente luta, no limite das suas forças, para satisfazer seus apetites, em detrimento de qualquer outro concorrente. Freud se juntaria a nós. Porque se a vida na civilização pode ser castradora e horrível, fora dela – num eventual estado de natureza – será ainda muito pior.

Mas você leitor, torce o nariz. Não parece convencido.

– Se eu entendi bem, nesse tal estado de natureza lutamos pelos nossos prazeres sem nenhum limite, sem ter que dar satisfação a ninguém. Assim, no caso de fome, apanho a fruta da árvore sem preocupações com direitos de propriedade. Da mesma forma, no caso de tédio afetivo, saio à caça sem dar bola para a monogamia, monótona e entediante. E, no limite, não há que investir muito. Afinal, podemos submeter os mais fracos a todos os nossos caprichos sem grandes seduções.

O leitor tem razão em tudo que diz. Se, para ele, a aquiescência – ou mesmo o entusiasmo – do parceiro não é condição para o prazer, num eventual estado de natureza, bastaria submetê-lo. Cabe só lembrar ao leitor, que isso vale para tudo e todo mundo.

Assim, para que a vida no estado de natureza lhe seja sempre conveniente, seria preciso ser o mais forte em qualquer circunstância. O que não é nada fácil. Porque todos são inimigos em potencial. Por isso, se depois de satisfeito, o leitor for tirar um cochilinho debaixo de uma jaboticabeira – afinal ninguém é de ferro –, não poderá se queixar se for constrangido a satisfazer alguém mais disposto naquele instante. Por essas e outras, conservo meu ponto de vista. Ainda é melhor viver com moral do que sem.

Mas, se a moral – entendida, a grosso modo, como respeito pelo outro ou até mesmo preocupação pela sua felicidade – é relevante para a vida, não garante, por si só, uma existência feliz. Porque, como dizem alguns, nem sempre o bem vence o mal. Porque o mundo quase nunca é justo. Por isso, talvez, tantas promessas de salvação fora daqui. Num outro mundo qualquer em que a moral e a vida boa possam estar finalmente alinhadas.

Mas, neste nosso mundo velho de guerra, neste de carne e osso, que é onde nos toca viver por enquanto, quantos não conhecemos, indivíduos super gente fina e tristes. Porque ser um cara legal não elimina boa parte dos chamados problemas existenciais.

Afinal, por mais ciosos que sejamos com os outros, por mais que condicionemos, nós mesmos, a satisfação de nossos apetites a um entendimento coletivo, nosso corpo segue sua trajetória de encontros com o mundo. Muitos deles entristecedores. O mundo deixa suas marcas. Seus sulcos. Suas pegadas em nós. No envelhecimento, que compartilhamos. Mas também no que nos é particular. Na reduzida visão de perto, nos constrangedores exames de próstata, no cansaço depois de meia hora de jogo, no acúmulo de adiposidade na região pneumática. Sem falar na rigidez, dos ossos, e na falta de rigidez, do que não é osso.

Como se não bastasse nosso próprio corpo, que definha mesmo quando não merecemos, outras pessoas também nos causam problemas. Por mais que as respeitemos. Por maiores que sejam nossas preocupações morais. Porque algumas, que amamos, sofrem. E seus sofrimentos nos entristecem. Entes queridos morrem. Desaparecem do nosso mundo. Filhos pequenos choram.

E outras, que amamos também, entristecem-nos porque gozam. Estimulados por terceiros. E a mulher amada – desde a juventude – não resiste aos tentadores apelos do chefe e consuma cópula extraconjugal. E pior. Arrependida, conta a verdade. Em relato detalhado.

A literatura também transborda de exemplos de personagens moralmente inatacáveis e profundamente sofredores. Tanto quanto nossas telenovelas que, só no último capítulo, promovem alinhamento entre moral e vida boa. Ponto alto da ficção. E mesmo na hipótese de um mundo onde todos, absolutamente todos, passassem a respeitar escrupulosamente o outro, sem polícia, sem direito, sem leis – como pretendem muitas comunidades alternativas que se isolam no meio do mato para viver em paz e amor – ainda assim haveria um enorme risco de um tédio insuportável. Ou de um terremoto, para agitar a festa.

A leitura do que segue ajudará a entender o que falta. A complicada relação da moral com a vida boa. Se os capítulos anteriores tiveram um ou mais pensadores de referência, a reflexão aqui apresenta – sempre de forma fragmentada e sem nenhuma pretensão de dar conta da complexidade da sua obra – o pensamento de Kant sobre como devemos viver.

Um pouco de bibliografia, para começar. Afinal, a leitura dos textos que nos oferecem apoio, capítulo a capítulo, é insubstituível. Sugiro aqui um roteiro. Para pegar você pela mão e apresentar o pensamento moral de Kant. Primeiro degrau: as páginas iniciais da obra *Fundamentos da metafísica dos costumes*. Nesta, o objetivo assumido do filósofo é a investigação do princípio supremo da moralidade.

– Mas o que quer dizer princípio supremo da moralidade?

Imaginemos um diálogo com uma criança que pretendemos educar. Você informa a criança que ela não pode fazer isso ou aquilo; e ela, então, pergunta por quê. Você explica o motivo. Mas ela continua perguntando por quê. Chega uma hora em que você se sente encurralado. Precisa dar uma resposta definitiva que interrompa a série de porquês. Esse é o fundamento da moral. Durante muitos séculos a vontade de Deus cumpriu esse papel.

– Não pode porque Deus não quer.

Justifica você aliviado. Afinal, se ainda surgisse um porquê, você sempre poderia dizer que nossa razão não dá conta das razões da vontade de Deus.

Mas, com Kant, já estamos no século XVIII. E procuramos um outro fundamento para a moral. Sem Deus desta vez.

Nessa procura íngreme, esses *Fundamentos* são um ótimo aperitivo. Abrem o apetite. Preparam para o prato principal: a grande obra moral de Kant, a *Crítica da razão prática*. Mas a invasão desse quartel kantiano, caro leitor, não é tarefa fácil. Estamos diante de um dos mais herméticos pensadores de toda a história da filosofia.

– E por que não deixamos esse cara pra lá, simplesmente? Sugere o leitor, já solicitado pela família, minutos antes de sair para o almoço de domingo.

Querido leitor. O desafio se impõe. Lamento. No final, você dará a mão à palmatória. Vai valer a pena. Afinal, a filosofia kantiana é tão importante que se confunde com o próprio pensamento moral da modernidade. Nada supera em rigor essas reflexões sobre como devemos viver.

A leitura de um livro de Kant é como escalar a mais alta das montanhas. Enfrentar a mais temível das ondas. Prestar vestibular para medicina na universidade pública. Ou aquele concurso de 1000 candidatos por vaga. Coisas que se você não encara, fica o resto da vida com a sensação de ter amarelado na hora H.

Moral e boa vontade

Não há, para Kant, no mundo, nada que seja bom em si mesmo. Tudo é o que é. E será bom ou mau em função das circunstâncias particulares e das relações que mantiver com o mundo. Assim, poderíamos exemplificar ao infinito. Uma pizza não é boa em si, mas em função de quem a degusta. Da sua fome. Das suas preferências alimentares. De seus hábitos e cultura.

Um sorriso também não é bom em si. Pode ser entendido, nos códigos daquele lugar, como provocação ou desdém. Estampar uma ironia amarga. Indicar falta de zelo com os dentes. Tabagismo. E, até mesmo, falta de seriedade.

E um carro novo? Bem, aquele carro de lata e tinta que acaba de ser comprado, este é a alegria do proprietário. Mas indica também consumismo desenfreado. Mais um poluente. É insuficiente para as necessidades da família. E fonte de preocupação dos analistas do trânsito, ou melhor, da falta ou impossibilidade de trânsito.

Fica claro, então, que nada, absolutamente nada pode ser bom ou mau por si mesmo. A não ser a tal da boa vontade. Só ela é boa independentemente de qualquer coisa. O texto em que Kant apresenta esta sua convicção é tão conhecido e popular que outro dia o encontrei estampado na traseira de um caminhão:

> Não é possível conceber coisa alguma no mundo, ou mesmo fora do mundo, que sem restrição possa ser considerada boa, a não ser uma só: a boa vontade (Caminhoneiro, fã dos *fundamentos*).

Ao afirmar que só a boa vontade é boa sem restrições, o autor quer dizer que essa boa vontade é o único bem incondicionado. Inversamente, os outros talentos como a inteligência, a faculdade de julgar, a coragem e outros, não são bens incondicionados. Não são coisas boas absolutamente. Seu valor moral depende do uso que delas se faça. Como a coragem, quando está a serviço do ódio. E o sangue frio que, no corpo de homem cruel, não só o torna mais perigoso, como também, a nossos olhos, muito mais detestável do que o teríamos julgado sem ele.

Moral, vontade e uso dos talentos naturais

A vontade não é um talento natural. Não pode se confundir com a força, beleza ou a inteligência. Delas podemos nos servir para conseguir outras coisas. Já usei da força para carregar malas em viagens. E da paciência também, sempre necessária para outros malas. Neste preciso instante, estou me servindo de um pouco de inteligência para escrever este livro. Quanto à beleza, só me resta observar como alguns outros a usam para este ou aquele fim.

Já a vontade não pode ser instrumento. Não posso usar a vontade. Por uma razão: é ela que usa. É a vontade que faz uso da força, da beleza, da inteligência ou de qualquer outro recurso que temos. Desta forma, minha vontade já deliberou pelo uso da força de meus braços para carregar malas. Já deliberou também pelo uso da inteligência para escrever sobre a vida. Assim, a vontade nunca é meio, mas agente. É a mão que opera, não a ferramenta.

Vamos pôr um pouco de ordem em tudo que dissemos. Vou pegar você pela mão e tentar propor um resumo do que vimos até aqui. Temos que diferenciar três coisas. A primeira é o talento natural. Ao qual já nos familiarizamos desde os gregos. A beleza, a inteligência, a força etc. Já sabemos que, para os gregos, esses talentos eram a própria virtude. Por isso, uns eram melhores do que outros. Aprendemos também, que os cristãos não estavam de acordo com isso. Que, para eles, tais talentos não valem por si.

A segunda é o uso desse talento. Este uso se materializa numa conduta. Conduta concreta no mundo. Como o salvamento de alguém pelo uso da força. Como a sedução de alguém pelo uso da beleza. Como a instrução de alguém pelo uso da inteligência. Perceba que, aqui, o talento é usado como instrumento para outra coisa. Força, instrumento do salvamento. Beleza, instrumento da sedução. Inteligência, instrumento da instrução.

A terceira é a vontade. Que não se confunde nem com o talento nem com seu uso. Que não é nem a força, nem o ato de salvamento. Nem a beleza, nem o ato de sedução. Nem a inteligência, nem o ato de instrução. Porque a vontade é o agente que delibera colocar a força em ato de salvamento. Delibera colocar a beleza em ato de sedução. Delibera colocar a inteligência em ato de instrução. É o que está por trás do uso da força, da beleza e da inteligência.

Caro leitor. Tenho certeza de que você entendeu a diferença entre o talento, o uso do talento, e a vontade – decisão de usar o talento. Arremato com um exemplo: um jovem tem grandes habilidades musicais. Eis um talento natural. Ao convidar os amigos, toca várias músicas de sua própria autoria. Eis o uso do talento. E, antes de seus amigos chegarem, esse jovem decide que vai tocar. Delibera sobre o uso de seu talento por esta ou aquela razão. Eis a vontade. Vontade que decide sobre o uso a ser dado ao talento.

– Mas se a vontade é o único bem incondicionado, Kant não concorda com nossos amigos utilitaristas. Afinal, para eles, o que importa é o resultado. Não a vontade.

Eu cada vez mais me surpreendo com você. Deu-se conta, rapidamente, de que o certo do capítulo anterior é bobagem neste capítulo. E o que é mais incrível. O contrário também é verdade.

Moral, vontade e eficácia

Para Kant, nenhum valor moral pode ser atribuído a uma ação em função dos efeitos dessa ação. Você jamais terá agido bem ou mal em função do que acontece no mundo por sua causa. Insisto, pouco importa o efeito. Pouco importa a consequência. Em outras palavras, a utilidade ou inutilidade da ação nada poderá acrescentar ou retirar ao valor da vontade. Ou seja, quem age regido pela boa vontade pode fazer acontecer coisas lindas e também coisas monstruosas. Como a morte do outro. Não importa.

– E qual o problema de valorar a conduta pelo que acontece a partir dela? O que Kant tinha contra os efeitos?

Ora, aguerrido leitor. Fico feliz porque sua indignação revela bom entendimento da leitura do capítulo anterior. Mas, para Kant, o buraco é mais embaixo. Os efeitos de uma ação não são um bom critério para definir o valor da sua deliberação porque esses efeitos não estão sob controle de quem a delibera.

– Como assim?

Você é professor. Delibera sobre o conteúdo da aula. Fala do amor erótico de Platão e o pêndulo de Schopenhauer. O que você quer é enriquecer o repertório filosófico dos alunos. Um deles, naquela manhã, encontrava-se deprimido. Vítima de uma decepção amorosa. De um desagravo. O teor da aula só piora seu estado afetivo. Ao sair da escola, delibera abreviar a própria existência.

Suicídio do aluno. Efeito da aula. Sem ela, não teria ocorrido. Não ali. Não daquele jcito. Mas efeito também de uma desilusão. Da pobreza de vínculos sociais. De uma baixa autoestima. De uma vida de discriminação étnica. De uma deficiência física importante. Que prejudicava todo deslocamento. Efeito de tanta coisa. Não só da aula. Qual a parcela da aula nesta complexidade causal? Impossível saber.

Essa impossibilidade esclarece Kant. A sua vontade ao escolher o conteúdo da aula não pode ser valorada pelo seu efeito, isto é, pelo suicídio do aluno. Ainda que, para sua mais profunda tristeza, lhe tenha dado causa, de alguma maneira. Em outras palavras, seria inadequado, na perspectiva kantiana, que fôssemos julgados ou responsabilizados em função desses efeitos, antes de mais nada, por não os controlarmos completamente.

Mais um exemplo. Literário, desta vez. O pobre do Pequeno Príncipe foi acusado de ser eternamente responsável pelo que cativa. Mesmo não tendo nenhuma intenção de cativar ninguém. Esta acusação é absurda aos olhos de Kant. Afinal, o resultado da ação – o enamoramento – é um efeito que escapa ao controle do principezinho. Escapa à sua vontade. Não é, portanto, elemento relevante para atribuir-lhe algum valor moral.

E o próprio Kant explica – com palavras dele agora que,

> [...] mesmo quando, por singular adversidade do destino ou por avara dotação de uma natureza madrasta, essa boa vontade não puder levar a bom termo seus propósitos; admitindo até que seus esforços mais

tenazes permaneçam estéreis, ela nem por isso deixa de refulgir como pedra preciosa dotada de brilho próprio, como alguma coisa que em si possui valor (KANT. *Fundamentação da metafísica dos costumes*).

— Já entendi. A boa vontade nada tem a ver com os efeitos da ação. Com o que tem a ver, então? Com o que queremos? Afinal, vontade faz pensar nisso. Algo que desejamos.

Moral, vontade e desejo

Querido leitor. De fato vontade e desejo costumam se confundir no senso comum. No dia a dia, ter vontade ou ter desejo é a mesma coisa. Mas não para Kant. Sua concepção de vontade se afasta muito dos desejos que vamos sentindo ao longo de nossa existência. E por quê?

Toda vontade pressupõe uma deliberação da razão. Distinta dos desejos. Soberana em relação a eles. Não fosse a vontade, não seria fácil compreender por que a natureza nos teria dotado de razão. Se nossa vida se limitasse, como a do resto dos animais, à sobrevivência, à satisfação dos desejos, então, instintos naturais inatos fariam muito melhor o trabalho.

Toda deliberação racional implica dois elementos: de um lado, a finalidade, isto é, o que queremos quando deliberamos. E de outro, o motivo, ou, como se diz, a razão de termos deliberado daquela maneira. Para Kant, a boa vontade decorre apenas de um só desses elementos: o motivo, isto é, o porquê da deliberação. Isto quer dizer que seu objeto, isto é, a decisão que você toma — a conduta pela qual você optou — não é relevante para identificar a boa vontade. Importa saber por que você decidiu agir daquela forma.

— Alto lá. Vamos ver a quantas anda minha compreensão. O que Kant está dizendo é que o valor da ação não está nem nos seus efeitos, nem na materialidade da conduta. Está no motivo que tem o agente para agir do jeito que agiu. É isto?

Tamanho talento de síntese precisa ser aproveitado no mundo escolar. É exatamente isso. Não importa nem o que você fez, nem o que aconteceu no mundo por você ter feito. Quando uma pessoa age e faz uma bobagem – afeta o mundo de forma negativa – para Kant, nem o que ela fez nem o que ela causou importam para atribuir valor moral. Porque este é dado, exclusivamente, em função do motivo que levou o agente a agir.

– Mas isso que propõe Kant é muito diferente de tudo que sempre fizemos ao julgar os outros. Não acha?

Não poderia estar mais de acordo. Cabe agora esclarecer qual será o bom motivo. Aquele que, quando motiva, caracteriza a boa vontade. E permite atribuir valor moral positivo à conduta motivada.

Moral, vontade e dever

O motivo que permite identificar, em qualquer deliberação, uma boa vontade é o que Kant denomina "sentido do dever". Ou seja, só age com boa vontade aquele que age por dever.

– Não sei se eu entendi. Balbucia o leitor decepcionado. Que história é essa de agir por dever? De onde vem esse dever? Há uma lista de deveres? Alguma coisa como os dez mandamentos?

Calma, calma, quantas perguntas. Vou tentar responder algumas delas. Mas devagar. Kant tem que ser devagar.

A primeira lembrança. A boa vontade não é desejo. É deliberação racional. Portanto, podemos deliberar racionalmente no mesmo sentido do desejo. Ou, na sua contramão. Quando deliberamos contrariamente ao que desejamos, fica mais fácil entender. Nosso corpo pede A mas deliberamos B. Fica evidente que a razão foi soberana frente ao corpo. O leitor faz cara feia. Quer um exemplo.

Tive uma professora de hidroginástica. Mulher de glúteos deslumbrantes. Instruiu-me por um ano e meio. Durante esse tempo meu corpo clamava pelo toque glúteo. Mas ao longo deste ano e meio, isso nunca aconteceu. O desejo era pela manipulação. Mas, dirá um kantiano, a vontade triunfou no sentido oposto.

Mais complexo é o caso da deliberação racional no mesmo sentido do desejo. Isto porque, neste caso, não é fácil saber se a referida deliberação foi soberana e a satisfação do desejo mera coincidência, ou se a deliberação racional curvou-se ao desejo.

Você come uma barra de chocolate. E deseja comê-la. Ação que, segundo seu relato, teria resultado de uma deliberação racional pelo chocolate. Fonte de energia. Combate à anemia. No entanto, neste caso, sempre haverá a suspeita de ter agido sob jugo do desejo. E todas as razões apresentadas não passariam de mera justificativa. Isto é, uma tentativa de tornar o desejo pelo chocolate aceitável para si e para os outros.

Aqui, Kant propõe uma diferença que pode parecer só um jogo de palavras. Entre agir por dever e agir segundo o dever. Nos dois casos, o agente faz o que tem que fazer. Mas isso, já vimos, não importa para o valor moral. Não configura a boa vontade. Porque para configurá-la só importa o motivo da ação. A ação por dever tem este dever como única motivação. O agente faz o que deve fazer, simplesmente porque deve fazer. Caracterizando a ação com boa vontade. Moral de primeira classe. Biscoito fino.

Já no caso da ação que é apenas segundo o dever, o agente também faz o que deve fazer. Mas não porque deve fazer. E sim por motivos egoístas. Em nome da própria alegria. Esforço de insistência no ser. Pela potência. Moral de segunda classe. Biscoito murcho. Por isso, costuma-se dizer que a moral em Kant pressupõe um agir desinteressado. O desinteresse seria sua primeira grande característica.

Tomemos, leitor, como exemplo, a situação mais propensa para uma deliberação por motivo egoísta: a de ameaça à própria vida. Deliberamos, num primeiro caso, por uma conduta para nos proteger. Isto, porque queremos continuar vivendo. Neste caso, nosso motivo é egoísta. Estamos longe da boa vontade. Nossa conduta em nada difere da de Brandão, javali estrábico que, ameaçado por caçadores, deu cabo de todos fazendo uso de seus afiados dentes.

Em contrapartida, podemos, num segundo caso, deliberar pela mesma conduta, mas apenas por dever de preservar a própria vida. Não por medo de morrer. Ou por um apego instintivo, corpóreo, natural à sobrevivência. Neste caso, a deliberação é com boa vontade. É o caso do destemido suicida, que desiste de se matar simplesmente por dever de seguir vivendo.

> Passo aqui em silêncio todas as ações geralmente havidas por contrárias ao dever, se bem que, deste ou daquele ponto de vista, possam ser úteis, pois nelas não se põe a questão de saber se podem ser praticadas por dever, uma vez que estão em contradição com ele. Deixo também de lado as ações que são realmente conformes com o dever, para as quais no entanto os homens não sentem inclinação imediata, mas que apesar disso executam sob o impulso de outra tendência; com o dever foi realizada por dever ou por cálculo interesseiro. Muito mais difícil notar esta distinção, quando, sendo a ação conforme com o dever, o sujeito sente para com ela uma inclinação imediata (KANT. *Fundamentação da metafísica dos costumes*).

Da mesma forma, aquele que salva um desconhecido – ou mesmo um inimigo – age por dever. Com boa vontade. Já o pai que se joga no lago para salvar o filho em afogamento, age em nome da própria vida. Porque não suportaria sobreviver ao filho.

Age em nome do amor paterno. Com motivação egoísta. Sem boa vontade. Por isso, quem ajuda os outros sem ter nenhum prazer nisso tem valor moral superior àquele que salva o filho amado.

> "Assim devem, sem dúvida, ser compreendidos também os passos da Bíblia, onde se ordena amar o próximo e até os inimigos. Com efeito, o amor, como inclinação, não pode ser comandado. Mas praticar o bem por dever, quando nenhuma inclinação a isso nos incita, ou quando uma aversão natural e invencível se opõe, eis um amor prático e não patológico, que reside na vontade, e não na tendência da sensibilidade, nos princípios da ação e não em uma compaixão emoliente. Ora, é esse o único amor que pode ser comandado. (KANT. *Fundamentação da metafísica dos costumes*). "

Essa boa vontade racional, respeitadora de um dever para além dos apetites e dos interesses pessoais, pressupõe uma liberdade frente aos mesmos. Eis um segundo traço relevante da moral kantiana. Para poder ser desinteressada, primeiro traço já destacado, a vontade tem que ser livre.

A análise dessa liberdade frente aos próprios apetites exige de nós alguns parágrafos de homenagem à especificidade do homem frente ao resto da natureza. É ela que nos permitirá identificar o fundamento deste desinteresse. Convicção que Kant empresta de Rousseau. Um de seus assumidos inspiradores.

Moral e especificidade humana

Para o nosso cardápio de obras a ler, mais uma recomendação: *Discurso sobre a origem (e o fundamento) da desigualdade entre os homens*. Os parênteses se justificam porque nem todas as edições respeitam o título completo. Texto fácil de ler. De um grande escritor. O genebrino Jean-Jacques Rousseau. Preocupado em ser entendido por qualquer um como todo bom revolucionário. Estilo raro no mundo da filosofia.

Neste discurso, Rousseau discorre sobre a especificidade do homem frente aos demais entes da natureza. A busca é pela diferença específica. Pelo traço exclusivamente humano. No nosso segundo capítulo falamos do homem de Aristóteles. Definido pela sociabilidade e pela razão – que também é discurso e linguagem. Ora, esta não é a perspectiva de Rousseau. Para ele, outros animais gozam das mesmas prerrogativas. Abelhas e formigas são supersociais. Símios superiores conversam com vocabulário sofisticado.

Rousseau propõe que todos os animais são dotados de instinto. Complexo programa que oferece respostas para todas as situações de existência. O instinto é tudo que o animal tem e tudo de que precisa para conduzir sua vida até o final. O que nos permite concluir que os animais já nascem prontos. Pequenos talvez, mas com todos os recursos disponíveis.

Assim, os animais serão rigorosamente fiéis a esse instinto. Não lhes é possível discrepar. De tal maneira que um gato, programado para comer carne, morrerá de fome do lado de um prato de alpiste. Não lhe ocorrerá arriscar matar a fome com aquilo de que circunstancialmente dispõe. Esse improviso lhe escapa. Da mesma maneira, um pombo, que também definhará sem arriscar comer um prato de filé que lhe está sendo oferecido.

E o homem? Bem, o homem também tem algum instinto. Procura o seio materno quando nasce. E o faz por instinto. Não depende, para isso, de uma consulta ao Google. Mas esse pobre instinto, no caso do homem, não dá nem para a primeira semana. O homem precisa de mais, muito mais, para viver. Fica evidente que, no seu caso, não nasceu pronto. Nos dias de hoje, aliás, está precisando de uns trinta anos para sair do forno. Um longo tempo de preparação.

Essa preparação, no âmbito individual, é a sua educação. Preocupação de Rousseau em *Emílio, ou da Educação*. Outra obra linda. Um pouco mais longa, no entanto. Xodó dos interessados por pedagogia. Preocupação estritamente humana. Porque o gato, o pombo e a tartaruga não irão à escola. Não haveria nada a aprender. Porque o necessário já lhes foi outorgado *in natura*.

No âmbito coletivo, o homem é cultural, é político. Prerrogativa também ausente entre os animais. Que não acumulam ensinamentos, de geração em geração. Porque já dispõem individualmente do que lhes é necessário. O homem, inversamente, por não dispor de tudo, conta com o que lhe ensinam os outros. Serve-se das experiências alheias. Depende de relatos de situações que não viveu. Tudo isso confere ao humano uma perspectiva de aperfeiçoamento progressivo que os animais não têm. Perfectibilidade. Diferencial humano. Este sim, exclusivamente humano.

Por tudo isso, o homem também come alpiste. Hoje ele chama de linhaça. Parece que faz bem à saúde. Dieta ponderada. Resultado de escolhas. Uma verdadeira opção de vida. Por uma vida fibrosa. Muito diferente da comida do pombo. Que é o que é. Desprovida de qualquer ponderação sobre o certo e o errado, sobre o aceitável e o inaceitável, sobre o número de pontos deste ou daquele ingrediente.

O homem come também o filé. De tudo quanto é jeito, como dizem. Assado, frito, cozido, cru, moído, em hamburger e de muitas outras formas que sua engenhosidade inventará. Come porque tem proteína. Porque não concorda com os que não comem carne de jeito nenhum. Porque agrada particularmente. Porque naquela churrascaria a fraldinha é especial. Disseram.

Se o calo apertar, o homem come o gato, bem como o pombo. E outros homens, quando o avião cai na cordilheira. E, mesmo neste caso, aparentemente vizinho ao da animalidade, o homem argumentará, justificará sua conduta com estados de necessidade, atos famélicos e inexigibilidades de conduta adversa.

Perceba, caro leitor, que o homem não nasce com todas as respostas de que precisa. Sua vida requer mais do que sua natureza oferece. Por isso, cabe a ele inventar, ponderar, tergiversar, criar, esculpir, instante a instante, a estátua da própria existência. Por isso, o homem excede. Transcende a própria natureza. Vai além dos instintos. Porque quando a natureza se cala, ainda resta a vontade. A deliberação que escapa à necessidade da sua natureza.

A noção kantiana de dever é correlata a essa concepção do humano que o filósofo empresta de Rousseau. De acordo com ela, o ser humano é, antes de tudo, um ser de razão e de liberdade. Ele tem inclinações e seu comportamento é fortemente influenciado pelas circunstâncias em que se encontra. Como o dos animais.

No entanto, contrariamente a esses, o homem pode se governar. Sua razão faculta orientar-se. Fixar-se objetivos. Dotar-se de princípios. Enquanto os animais apenas reagem, os seres humanos deliberam. Com autonomia em relação à própria natureza. Graças a Rousseau, Kant pode fundar sua moral numa liberdade estritamente humana.

> " Na constituição natural de um ser organizado para a vida, admitimos, por princípio, que nele não haja nenhum órgão destinado à realização de um fim que não seja o mais adequado e adaptado a este fim. Ora, se num ser dotado de razão e de vontade a natureza tivesse por finalidade última sua conservação, seu bem-estar ou, em uma palavra, sua felicidade, ela teria se equivocado ao escolher a razão para alcançá-la. Isto porque, todas as ações que este ser deverá realizar nesse sentido, bem como a regra completa de sua conduta, ser-lhe-iam indicadas com muito maior precisão pelo instinto (KANT. *Fundamentação da metafísica dos costumes*). "

Moral e liberdade

Um gato não tem moral. Um pombo tampouco. Terremotos e tsunamis são o que são. Como tempestades e inundações. Moralmente indiferentes. Nada na natureza tem moral. A não ser o homem. Por transcendê-la. Se o gato e o pombo só podem agir de um jeito – do jeito que agem – determinados que são por seus instintos – a vida do homem, a cada instante, pode ser infinitamente diferente do que é. Eis a condição da sua moral.

Célebre é o refrão de Antonio Machado, magnífico poeta espanhol, que informa ao transeunte não haver nenhum caminho que anteceda seus passos. Que nada além do seu próprio andar definirá esse seu caminho. Porque a vida se define vivendo. Porque primeiro vivemos – existimos no mundo – instante a instante e só depois podemos tentar identificar quem somos. Afinal, se somos alguma coisa é justamente porque vivemos como vivemos. E vivemos como vivemos porque somos senhores de nossas deliberações. Livres, portanto. Fundamentalmente livres. Liberdade de que, paradoxalmente, não poderemos abrir mão.

Estamos condenados à liberdade de definir a própria vida. Não se trata de um diletantismo. De uma prerrogativa da qual podemos nos servir quando nos apetecer. Não se trata tampouco de um direito. Deliberar livremente sobre a própria vida é nosso maior ônus. Responsabilidade que pesará sobre nossos ombros enquanto houver vida a viver. Responsabilidade de que, sem paradoxo nenhum, não poderemos abrir mão.

Moral e amor

Estamos chegando ao fim deste capítulo. Não poderíamos terminá-lo sem algumas linhas sobre o amor. Na perspectiva de Kant, a distância entre moral e amor é significativa.

– Como assim? Moral e amor não tem nada a ver um com o outro? Não. Pelo menos para Kant. Porque quando há um, não pode haver o outro. Amor é sentimento. E sentimento é um dado da natureza. Impõe-se a nós. Frente ao amor, cabe-nos constatação. Por isso, o amor não se delibera. Nem seu início, nem o seu fim. De forma que não podemos estar obrigados a amar. Constrangidos a amar por algum imperativo.

Assim, a mãe se desespera porque seu filho não quer comer.

– Você tem que gostar de verdura!

Releia Kant, mamãe. Posso ter que comer verdura. Mas ter que gostar de comer verdura? Não é possível.

Desta forma, quem age por amor não age por moral. Porque amor é manifestação da natureza. E moral é o resto. É do que precisamos quando a natureza não responde. Para quando não há amor. E temos que admitir que, no mundo em que vivemos, amamos pouca coisa. Se tomarmos apenas as pessoas, amamos pouquíssimas: pais, filhos, alguns amigos, 15 pessoas no máximo, para os de coração dilatado. Pois só na China há alguns milhões que não amamos. Amássemos mais, moralizaríamos menos.

Assim, a mãe amamenta seu filho recém-nascido. Alguém, que contempla a cena, elogia o respeito ao dever materno de amamentar. Elogio que desperta a incompreensão da mãe. Jamais aceitaria agir por dever moral. Porque age por amor. Da mesma forma, o marido leva a esposa para avaliação prévia ao exercício de atividade advocatícia. Espera do lado de fora. Algumas horas. Procurando gabaritos. Observando outros candidatos. E o faz por amor. Em total ausência de dever conjugal.

Mas como o amor é raro, a moral é importante. Uma simulação de amor. Justamente pela falta dele. No lugar dele. Não é outra a noção de amor prático em Kant. Um amor para quem não ama. Este sim, para sempre. Porque deliberado. Na falta de sentimento, uma conduta amorosa.

Curioso, leitor. Não sei se concordará. Mas os amantes parecem querer tudo. De um lado, não abrem mão da paixão. De sentimento. Mas só esse, sairia na urina. É fugaz como o corpo que sente. E se impõe ao amante. Não queremos ser amados só por um instante. Nem como uma manifestação da natureza não deliberada ou endossada por quem o sente.

Por isso, de outro lado, os amantes também não abrem mão da opção de terem sido escolhidos. Da autonomia da escolha. E da eternidade. E nada disso combina com sentimento. Tem a ver com amor prático. Com boa vontade, para quando o amor falta. Os amantes, então, querem tudo. Que amemos com paixão e com liberdade. E por esperarem tanto, acabam não desfrutando do que têm.

Mas deixemos os amantes gananciosos. Interessa-nos o amor prático. Que é simulacro de amor. Simulação para a falta de sentimento. Não se trata de fingir. Mas de colocar a razão a serviço da vida. Uma vida que nem sempre é amável. Mas que vale a pena mesmo assim. Porque mesmo quando o amor falta, ainda nos resta uma valiosa boa vontade.

9
Vida socializada

Quando se fala em vida que vale a pena sempre vem à cabeça problemas existenciais. Dilemas que enfrentamos conosco mesmos, sobre a melhor trajetória a seguir. E tudo isso remete a recolhimento, distância dos outros, solidão. É uma questão de intimidade, de privacidade, de espiritualidade, do eu interior, dizem muitos, quando se referem às decisões sérias que temos que tomar.

– Preciso que você me deixe um pouco sozinho para que eu possa decidir o que vou fazer da minha vida.

Mas esse isolamento como condição das deliberações existenciais é ilusório. Isto porque as possibilidades de vida que cogitamos viver são as autorizadas por condições materiais concretas. As nossas condições. Alternativas que lhes são completamente incompatíveis sequer passam pela nossa cabeça na hora de decidir seriamente sobre a vida. Assim, um indivíduo que nunca jogou futebol, nem nunca foi atleta, não lhe ocorreria disputar a copa com a seleção. Não como alternativa real de vida. Só como chacota.

Mais um exemplo. Outro dia, o dono de uma empresa – que costuma me convidar para falar sobre ética para seus colaboradores – comentando sobre o trânsito na cidade, perguntou-me se eu já tinha comprado um helicóptero. Num primeiro instante, sequer entendi a pergunta. Percebendo meu embaraço, garantiu que, quando eu comprasse um, não suportaria mais o deslocamento por terra. O leitor terá entendido que a perplexidade diante da pergunta é resultado das minhas condições materiais de vida: trabalho, vencimentos, orçamento familiar, gastos extras etc. Fossem outras estas condições, o estranhamento poderia não ter existido.

Desta forma, os grandes dilemas que acreditamos enfrentar na intimidade e na solidão estão circunscritos a variáveis muito pouco íntimas e solitárias. Variáveis relacionadas com o resto do mundo. Mundo que para nós só tem sentido a partir de referências aprendidas, com outras pessoas. Com as quais encontramos amiúde. No universo de relações que é o nosso. Que faz parte da sociedade em que existimos.

– Pelo que eu entendi, todos nós vamos, pouco a pouco, aprendendo a pensar sobre a vida a partir de condições de possibilidade que são as nossas. E assim vamos adequando a existência a essas possibilidades. É isso mesmo?

Exatamente. Adquirimos uma espécie de saber prático. Este nos permite antecipar as condições de sucesso de um encontro e adequar-nos a elas. E mais que isso. Raramente temos plena consciência da complexidade deste ajuste. Por exemplo: quando você conversa com alguém, a distância entre os corpos é regulada pela sociedade. Varia em função do papel social de cada interlocutor. Se namorados, amigos, colegas de trabalho, chefe e subalterno etc. Você respeita essa distância. E não precisa pensar para respeitá-la.

Tenho certeza de que você, caro leitor, quando vai bater um papo com sua sogra, pessoa formal, conserva razoável distância dela. Uns dois metros. E não precisa pensar para isto. E nem medir. Graças ao tal saber prático, ela nunca se sentiu ultrajada. Porque você sempre soube se comportar.

Hoje, quando chamamos alguém de sem noção, referimo-nos a uma pessoa que, por algum problema de socialização, não interiorizou os reflexos básicos, tão necessários para uma conduta adequada às exigências daquele universo social.

Mais um exemplo parece conveniente.

Cada um de nós tem uma intuição de seu capital estético. Reconhecimento social da sua beleza. Sempre atribuído pelo outro, como todo capital social. Denominamos *capital*, porque participa de troca. Permite auferir vantagem. Mas não é dinheiro.

E essa intuição do próprio capital estético nos faculta identificar eventuais desequilíbrios em relação a pretendentes e pretendidos. E assim, muitas vezes sem perceber, já procuramos parceiro que supomos esteticamente compatível. Sob pena de alguém nos alertar "ser muita areia para o nosso caminhãozinho". Ou mesmo de estarmos compensando eventual inferioridade, neste quesitó de beleza, com algum outro capital. "O garotão deve estar se dando bem com a grana da coroa." Ou "aquele monstrinho para estar com aquela gata deve ter uma conta bancária..." É isso que dizem.

Neste capítulo, esse é o foco. A sociedade como ela é. Com seus discursos. Que, por serem enunciados, nos afetam. Afinal, tudo que falam de nós pode ser a maior besteira. Mas produz efeitos. Alegra ou entristece. Torna a vida um pouco melhor ou muito pior.

Acho que ficou claro: não é possível pensar na vida, ou mesmo viver sem pensar nela, sem considerar as condições sociais em que ela é vivida. Porque todo recolhimento é protagonizado por um ser já socializado. A sociedade vai junto. Não adianta trancar a porta.

Esse condicionamento das deliberações existenciais pode complicá-las muito. Convertê-las num labirinto. Porque as condições que supomos serem indispensáveis para uma vida boa, muitas vezes, dependem de outras, e estas de outras, e assim por diante. Não raro são contraditórias entre si. De tal maneira que, aquilo que julgo necessário para ser feliz também me entristece. Parece absurdo. Mas observe o exemplo.

Um amigo, que trabalha em escritório próprio, sempre repete:

— Para viver bem eu preciso de tantos mil. E para ganhar esse montante, eu preciso de tantos clientes. E para atendê-los eu preciso trabalhar tantas horas por dia. E para conseguir me dedicar todo esse tempo ao escritório, tenho de abrir mão de ver alguns jogos do Tricolor carioca. O que me entristece. Ora, a condição para viver bem — ganhar tantos mil — implica não poder ver os jogos — e viver mal.

— Lembro muito bem quando você disse, para fechar o capítulo da vida potente, que a tristeza faz parte. Não vou esquecer mais. É o que estamos constatando aqui, por outro caminho. Mas neste labirinto, deve haver algum lugar ao sol.

No mundo que é o nosso, estas condições materiais da vida são antes de tudo sociais. Porque o que mais nos afeta no mundo é o comportamento das outras pessoas. A cerejeira e o pôr do sol podem ser lindos. E nos enternecer. Mas participam pouco das nossas inquietações mais profundas. A sociedade é o palco da vida. Mas é também a rede da nossa trama. E o drama em que estamos enredados.

Por isso, importa muito a posição que nela ocupamos; as relações que mantemos com os demais agentes; o que pensam de nós; que valor nos atribuem em circunstâncias diversas; que tratamento nos dispensam; que necessidade terão de nos alegrar; que discursos enunciam a nosso respeito; que recursos temos para interagir; que temos para oferecer; como tornarmo-nos interessantes aos que nos interessam; por que precisarão de nós, e muito mais.

O outro, portanto, é fonte importantíssima de afetos: alegres e tristes. Talvez por isso, tenhamos tanta preocupação em como va- mos encontrá-los. Em que condições.

Sociedade e afetos

Já aprendemos que, ao longo da vida, esforçamo-nos o tempo todo. Mesmo quando não nos damos conta. Somos um esforço. No sentido da preservação do nosso ser. Da nossa essência. Da nossa potência. Esse esforço deve compreender, então, os outros e as relações que com eles protagonizamos. Porque as condições desses encontros poderão ser mais ou menos favoráveis à nossa potência. E por isso, muitas das alegrias e tristezas que sentimos são determinadas por elas.

– Quer dizer que muito do nosso esforço é para que pensem e digam de nós o melhor possível? Para que nos reconheçam como isso ou aquilo? Será que vale a pena tanto esforço? Não poderíamos simplesmente ignorar?

Querido leitor. Já o aconselharam a não ligar para o que os outros dizem a seu respeito. Você até concordou. Mas, logo em seguida, já estava gastando toda energia possível em busca de reconhecimento. Porque querendo ou não, o outro é mundo sempre presente. E seu potencial entristecedor é considerável. E alegrador também.

– Já estou mais que convencido. Mas esta sociedade, tão determinante para a vida boa, não seria apenas o resultado de nossa decisão de viver juntos? Se for assim, quando não estiver agradando, é só mudar. Acabar com ela.

Sociedade: resultado ou condição

Caro leitor, muitos pensam como você. Não é incomum que a vida em sociedade seja apresentada como uma decisão tomada por alguém no passado. Nesta perspectiva, o homem teria deliberado por ela. Que resultaria de uma manifestação de vontade coletiva. Esses que decidiram, teriam percebido que a vida vivida ao sabor dos apetites, sem regulação alguma, era meio arriscada. Ruim para quase todo mundo. Assim, o medo da morte violenta – ou outra motivação mais positiva – teria levado o homem a pactuar pela sociedade. Contratualmente.

> Mas, embora os benefícios desta vida possam ser ampliados, e muito, graças à colaboração recíproca, contudo – como podem ser obtidos com mais facilidade pelo domínio, do que pela associação com outrem –, espero que ninguém vá duvidar de que, se fosse removido todo o medo, a natureza humana tenderia com muito mais avidez à dominação do que a construir uma sociedade. Devemos, portanto, concluir que a origem de todas as grandes e duradouras sociedades não provém da boa vontade recíproca que os homens tivessem uns para com os outros, mas do medo recíproco que uns tinham dos outros (HOBBES. *Do cidadão*).

Esta forma de entender a origem da sociedade satisfaz a maioria. Afinal é confortável supor que primeiro surgiu o homem. Depois a sociedade. Por ele deliberada. Conforto lógico, afinal é o homem que pensa e decide sobre como viver. Porque a mesma vontade que deliberou pode rever sua opção. Porque a sociedade é o instrumento escolhido pelo homem a serviço da vida feliz.

Conforto também cronológico, porque é normal que as unidades de um coletivo o precedam. Quando você pensa numa coleção de qualquer coisa, imagina a existência primeira de suas unidades que são, posteriormente, reunidas. Um cardume como a reunião de peixes que já existiam para se reunir. O mesmo para uma manada, matilha etc.

Mas nem todos concordarão com tanta obviedade. Para muitos, no caso do homem, a sociedade veio antes. Precede ao próprio homem. Que, quando surge como homem, já é social. Nunca decidiu, portanto, reunir-se. Neste caso, seríamos essencialmente sociais. Não circunstancialmente. Assim, um bicho, igualzinho a qualquer um de nós, amamentado por lobos, cuidado por outros bichos, e que nunca viveu com outros homens, não é humano. Perspectiva aristotélica. Como já vimos.

Por isso, no nosso caso, a sociedade seria cronologicamente anterior ao homem. Que, quando, nasce já se depara com ela. Em forma de tapa de médico. De bilubilus ininteligíveis de familiares. De enfermeiras profissionalizadas. De abandonos maternos. De irmãos enciumados. Enfim, de gente disposta a transformá-lo em homem.

– Mas como a sociedade pode ser anterior ao homem, se é constituída de homens? Eu entendo muito bem que, no meu caso, a sociedade me antecede. Nasci com o bonde andando. Mas e o começo de tudo? E o primeiro homem?

Querido leitor. Os homens, suponho, não surgiram do movimento de uma varinha mágica. A noção de humano que temos hoje é categoria proposta pelo próprio homem. Que definiu, em função de alguns critérios, que, a partir de certo momento, aquele animal bípede já era humano.

Seus antepassados, no entanto, foram excluídos da categoria. Alguns passaram a denominá-los andropoides. Esse *oide* indica aparência de, parecido com. Quase humanos, portanto. Pois bem, estes andropoides, embora ainda não fossem humanos, já viviam em sociedades. Relativamente complexas. Por isso, quando o homem vira homem de vez, já está em plena vida social. Com regras, líderes, punições etc.

Aceita esta anterioridade da sociedade em relação aos indivíduos, podemos entendê-la como o espaço de relações em que cada um de nós vai se forjando. Constituindo-se. Discriminando-se. Condição para que sejamos o que somos. Graças à presença do outro, que se impõe, podemos identificar nossas especificidades. Pelas diferenças. Pelas semelhanças. Graças a esse outro, vamos deduzindo quem somos. Pelo que acham de nós. Pelo que dizem a nosso respeito.

– Alto lá, companheiro! Uma coisa é a sociedade vir antes. E irmos aprendendo a viver com ela. Outra é descobrir nela quem somos. Explique isto melhor.

Sociedade e discurso

Querido leitor. Compartilho com você o encantamento que despertou em mim a leitura de Bakhtin. Que me foi lindamente apresentado por uma professora que tive. Baccega. A quem aproveito para agradecer a dedicação e amizade. Aqui vai o que ficou. Depois de tanto tempo.

Quando nascemos, não falamos. Por isso, aprendemos a falar. Usando palavras, que também usamos para pensar. Por isso, também aprendemos a pensar. Porque não pensamos ao nascer. A matéria-prima que usamos para falar é a mesma que usamos para pensar. Signos, palavras. Que chegam até nós através de conversas, de diálogos. Por isso, toda nossa consciência – isto é, as coisas que passam pela nossa cabeça num instante – é povoada de signos que são aprendidos com outras pessoas. De fora para dentro, portanto. Um indivíduo que nunca falou com ninguém não tem palavras para falar. Nem para pensar.

Temos a ingênua crença de ser o marco zero de nossas manifestações. De que somos criadores plenos de nossos discursos. Que seriam gestados na nossa alma a partir de uma atividade intelectiva toda nossa. Neste caso, seríamos verdadeiros deuses das nossas intervenções.

Mas, meu amigo, considere com carinho o que vou dizer. Toda a materialidade das coisas que pensamos e dizemos nos vem de fora. Palavras, frases feitas, expressões, sinais, sotaques, encadeamentos prontos...Vivendo em sociedade estamos submersos num mar de discursos. Numa autêntica polifonia discursiva. Que nos bombardeia ininterruptamente. Toda esta matéria-prima de signos constitui os ingredientes de que poderemos nos servir no momento de nos manifestar.

> "Essa cadeia ideológica [de signos] estende-se de consciência individual em consciência individual, ligando umas às outras. Os signos só emergem, decididamente, do processo de interação entre uma consciência individual e uma outra. E a própria consciência individual está repleta de signos. A consciência só se torna consciência quando se impregna de conteúdo ideológico (semiótico) e, consequentemente, somente no processo de interação social (BAKHTIN. *Marxismo e filosofia da linguagem*)."

— Então quer dizer que nossa consciência funciona como uma espécie de tubo digestivo. Ouvimos, ouvimos e depois falamos. É isto?

Não exatamente. Muito embora toda materialidade do discurso nos chegue das relações sociais, há uma enorme distância entre isto e o que enunciamos. Porque a mesma materialidade pode facultar infinitas articulações diferentes. Assim, comporemos nossas receitas discursivas ineditamente. Como só nós faríamos. Criativamente. Porque não somos máquinas de reprodução ou mesmo de transformação de discursos alheios. Por isso, a comparação com o tubo digestivo é inadequada.

— Então, se entendi bem, nossos discursos são como um omelete. Os ovos correspondem ao que nos chega pela sociedade nas relações intersubjetivas que mantemos. Mas a receita, esta é nossa. Podemos aprontar uma maravilha ou uma catástrofe culinária, servindo-nos dos mesmos ovos.

Agora sim. Essa alegoria do omelete me agrada mais do que a do tubo. E você poderia ir mais longe. Porque sem ovos, ou com ovos podres, fica difícil. Em *Vidas secas*, o personagem Fabiano sugere reflexão parecida. Afirmava não conseguir nem pensar nem falar porque lhe faltavam palavras. Vínculos sociais. Relacionamentos. Daí sua animalização.

— Até aqui, entendi bem. Mas você ainda não esclareceu por que é na sociedade que eu descubro quem sou?

Sociedade e identidade

Ora, se todo discurso tem origem social, o que falamos sobre nós, as coisas que dizemos ao nosso respeito, a definição que oferecemos de nós mesmos, também tem sua gênese na sociedade. Bem sei que parece estranho. Afinal, pelo menos o que achamos que somos poderia ser uma constatação genuína de nossa parte. Seria gratificante. Mas, desencantar é preciso.

Quando observamos o dia a dia de uma criança pequena, percebemos claramente que as coisas que começa a dizer sobre si são as mesmas que ouve das pessoas com quem interage. Minha filha, quando menor, repetia tal e qual o que ouvia: ela é linda, dizia sobre si mesmo. Assim, o discurso de definição de si – também chamado de identitário pelos colegas da psicologia social – não foge à regra. É com os outros que vamos descobrindo os atributos que estaremos autorizados a apresentar na hora de nos definir.

Claro que nunca seremos meros repetidores do que disserem de nós. Porque há aqueles com quem não concordamos. Porque os porta-vozes de reflexões a nosso respeito não gozam todos da mesma legitimidade para falar de nós. Afinal, quem é ele para falar assim de mim? Desta forma, estes porta-vozes não participarão todos do mesmo jeito na definição de nosso discurso identitário. Mas, a despeito de todas estas diferenças, sua gênese continua social.

Por isso, poderíamos nos perguntar quem é o Professor Clóvis? Pergunta típica de calouros a veteranos. E com espírito de trote, um deles poderia responder: é um agenciamento atômico em trânsito. É matéria orgânica em deterioração. É finito. Espaço de mitoses e meioses. Arena de afetos em conflito. E nada disso seria falso. Afinal, isso aí, todo mundo é. Mas são definições que não atendem às necessidades sociais. Porque as identidades devem identificar. Permitir a identificação. Discriminar. Oferecer a diferença específica. Condição das relações entre as pessoas. Que precisam ter uma ideia clara a respeito de si e de seus interlocutores. Ou seja, não é o que o calouro quer saber.

Afinal, é com essa ideia que temos dos outros que acabamos nos relacionando. Porque o outro, enquanto matéria orgânica, sempre nos escapa. Inscrito num turbilhão de afetos. De passagens. De conversões e reconversões. Quando vamos ver, o outro com quem estávamos nos relacionando já é outro. E quando o outro é sempre outro, perdemos o pé.

Por isso, toda relação é sempre com uma ideia. Povoada de símbolos. Objetivada em discurso. Ideia que construímos do outro. O que achamos que o outro seja. Ideia que acreditamos controlar melhor. Em nome da estabilidade. Da segurança. Pretensão vã de reduzir a frustração. Esperança identitária. De permanecer idêntico. Idêntico ao de ontem. E quando o espelho desmente, continuamos acreditando numa estabilidade mínima. Do que consideramos mais fundamental. Alma, caráter, personalidade. Para que o eu possa continuar existindo. E o outro com quem se relaciona também.

O Professor Clóvis, portanto, é uma definição social. Por isso, é mais do que pensa ser. Do que fala sobre si mesmo. É também o que ouve a seu respeito. Discurso que aceita. Que rejeita. Que transforma o que pensa de si. Mas é também o que dizem a seu respeito e que ele ignora. Discursos enunciados por muitos porta-vozes. Mais ou menos legítimos. Pelos que adoram suas aulas. Pelos que abominam seu jeito. Pelos que não estão nem aí para ele. Discursos que o julgam distintamente. Contraditoriamente.

– Achei tudo isso muito legal. Mas não entendi onde você quer chegar. Afinal, estou aqui esperando discussão sobre a vida. E tudo que você diz sobre a sociedade parece longe da minha vida.

Engano seu. Essa definição de cada um de nós – que vai sendo forjada ao longo de todas estas manifestações – nos diz respeito muito de perto. Afeta-nos em cheio. Afinal, participamos dela, como parte interessada. Lutamos para que nos seja a mais favorável. Para que todos pensem de nós o que nós também pensamos. Porque o que falamos sobre nós não é só um discurso tipo exportação. Tem muito a ver com o que acreditamos ser. Salvo casos de cinismo crônico, onde insistimos em nos passar por algo que sabemos não ser.

Assim, alegramo-nos quando nos damos conta de que nossa imagem – socialmente construída – corresponde ao que gostaríamos que pensassem de nós. Esse alinhamento permite antecipar encontros favoráveis com membros desse coletivo. Em contrapartida, entristecemo-nos quando isso não acontece. Quando nossa imagem se distancia da que gostaríamos de ter. Quando nosso discurso sobre nós mesmos discrepa do da maioria. Alguns denominam esta tristeza específica de perda da face.

– Desculpa se vou dizer uma bobagem, mas pelo que você já explicou até aqui neste capítulo, a vida que vivemos vai depender muito de quem estiver por perto. Das pessoas com as quais nos relacionamos. Estas podem tanto torná-la algo agradável como fazer dela um verdadeiro inferno. Eu sempre pensei que tivéssemos melhores condições para relativizar a influência alheia.

Querido leitor. O que segue o impressionará ainda mais. Prepare-se para violentas emoções. Melhor tirar as crianças da sala.

Sociedade e seus laços

Quando falamos em vida boa, é inevitável pensar no seu contrário. Impossível falar em alegria sem cogitar a tristeza. Em esperança sem lembrar do medo. Em prazer sem ter em mente a possibilidade de dor. Por isso, para muitos pensadores importantes, a vida boa possível não vai além de uma vida não muito ruim.

E nós, de certa forma, também pensamos assim. Veja a reação das pessoas quando perguntadas se vão bem. Muitas respondem pela negativa da negativa. Vamos indo. Empurrando com a barriga. *Tirando avanti*, dizem os italianos. *Pas trop mal*, os franceses. *Not too bad*, os ingleses.

Mas falemos do seu contrário. Quando a vida vai mesmo muito mal. Quando a tristeza não dá trégua. Contamina o corpo inteiro. Melancolia. Porta aberta para o suicídio. Ocorrência da vida como qualquer outra. Quando deliberamos pela abreviação da própria existência. Eis uma decisão pessoal. Íntima. Porque se decidimos por um ponto final nesta aventura que não começamos, ninguém tem nada com isso.

Talvez não seja assim tão simples. Porque triste, todo mundo fica. Mas pôr fim à própria vida, é outra coisa. Alguns tristes o fazem. E, muitos outros, não. A fronteira entre os dois sempre mereceu investigação. Durkheim, pai fundador da sociologia, propõe uma tese. Na sua grande obra *O suicídio*. Existem fatores sociais que são protetivos da vida. Estes, para nós, são fatores sociológicos de vida boa.

> Mas, assim definido, como o suicídio interessará ao sociólogo? Visto que o suicídio é um ato do indivíduo que apenas afeta o indivíduo, dir-se-ia que depende exclusivamente de fatores pessoais e que o estudo de tal fenômeno se situa no campo da psicologia. E, aliás, não é pelo temperamento do suicida, pelo seu caráter, pelos acontecimentos da sua vida privada que normalmente se explica? Não tentaremos

aprofundar em que medida os diferentes estudos são mais legítimos para o seu estudo, mas o que é certo é que podem ser analisados sob um aspecto completamente diferente (DURKHEIM. *O suicídio*).

Não vamos comentar todos. Porque haveria, segundo o autor, vários tipos de suicídio. Limitamo-nos a apresentar a tese, segundo a qual, quanto mais sólidos os laços sociais, menos provável é a abreviação deliberada da existência. Ou seja, a importância que temos na vida dos outros e a importância que os outros têm na nossa vida acabam se constituindo em fatores que a protegem de nós mesmos em momentos de tristeza. Isto quer dizer que uma inscrição pobremente consolidada no mundo social indica maior chance de vida ruim.

Exemplos não faltam. Pensemos nos nossos. Durkheim tem os dele. Que são do final do século XIX. Muitos continuam atualíssimos. Um indivíduo casado tende a se suicidar menos do que um solteiro. Não porque o matrimônio não entristeça nunca. Alguns são verdadeira usina de tristeza. Só que na hora de puxar o gatilho, esse vínculo protege a vida. Ao menos na estatística.

O casado com filhos insistirá ainda mais em continuar vivendo. Menos propenso a liquidar a própria vida. E esta propensão diminui ainda mais no caso de filhos pequenos. Com vínculos acentuados pela dependência econômica. Ainda que possa estar tanto ou mais triste que solteirões sem filhos. Da mesma forma, irmãos – com os quais haja alguma convivência – parecem também segurar a onda.

Outro gancho significativo de vínculos sociais é a vida profissional. Assim, a relação com parceiros, com adversários, com subalternos, bem como a participação em universos de cooperação ou de competição também são protetivos da vida. Portanto, não é tão grave perder. Mesmo derrotas humilhantes. Desde que continuemos jogando. Insuportável é não poder jogar mais. Ou nunca ter jogado. É a exclusão. Porque essa fragiliza os laços.

Lembra-se, caro leitor, da discussão apresentada no capítulo 3, sobre a suposta idade certa para uma vida boa? Pois bem. Indiretamente, aqui podemos acrescentar variáveis ao tema. Afinal, existem idades mais propícias para sólidos vínculos sociais. Como no auge da vida produtiva. Em contrapartida, existem pontos cegos na existência profissional. Como na transição entre a universidade e o trabalho. Que pode ser longa.

Neste momento da vida, não somos mais estudantes e não somos ainda profissionais. Limbo, diriam alguns. Quando só temos ex-colegas e futuros colegas. Porque os que se encontram na nossa situação estão dispersos. Não constituem tribo. Tribo dos que não são nada. Essa falta de vínculos sociais corresponde a uma fragilidade identitária. Por não termos muito o que dizer – sobre nós – , acabamos não tendo também para quem dizer. E isso é superdesagradável. A sociedade cobra de nós, a cada encontro, alguma autoapresentação. E, por isso, somos constrangidos, o tempo todo, a assumir uma indefinição existencial.

Tudo isto porque na hora de dizer quem somos, nossa atividade laboral é ponto-chave. Quando trabalhamos, em poucos segundos anunciamos a instituição, o que fazemos lá, há quanto tempo etc. E quando não trabalhamos, sentimos a necessidade de prestar um esclarecimento. Dar satisfação, como se diz. Ninguém sai ileso desta lacuna. A sociedade cobra, através de seus agentes, porque precisa destas informações. A vida em sociedade pressupõe a possibilidade de pronta identificação. E os critérios para tal são sociais. Não os que você gostaria que fosse. E o trabalho é um deles.

> De todos esses fatos resulta que a taxa social dos suicídios só se possa explicar de forma sociológica. É a constituição moral da sociedade que fixa a todo momento o contingente de mortos voluntários. Existe portanto, para cada povo, uma energia determinada que leva os

homens a se matarem. Os movimentos que o paciente executa e que à primeira vista parecem representar exclusivamente o seu temperamento pessoal constituem, na realidade, o prolongamento de um estado social que manifestam exteriormente (DURKHEIM. *O suicídio*). 99

Querido leitor. Cabe aqui uma advertência. Essas conclusões propostas por Durkheim resultam da análise de dados quantitativos. De sociedades do seu tempo. Não autorizam inferências sobre casos particulares. Porque nada impede que você seja ponto fora da curva. Casado, tenha filhos, que dependam economicamente de você, tenha pais vivos, sogros sempre por perto, trabalhe na firma com um monte de gente, frequente a igreja todos os domingos, jogue bola no clube com seus amigos de sempre – enfim, tenha múltiplos e sólidos laços sociais – e ainda assim, num instante qualquer da vida, decida extingui-la sem mais.

Sociedade e alinhamento

A sociedade cobra alinhamento. E tem recursos para se impor. Porque alegra e entristece. Pode, por intermédio de seus agentes, fazer da nossa vida um inferno. Por isso, costuma levar vantagem contra eventuais rebeldes. Até porque, se não levasse, assistiríamos a uma revolução por minuto. E não haveria sociedade.

– Como assim, levar vantagem?

Nascemos pulsão total. Pelo corpo inteiro. Pura potência. Neste momento da vida, nada passa pela nossa cabeça. Um bicho assim, solto pelo mundo e cheio de tesão, representa grande risco para a sociedade. Por isso, desde o nascimento, haverá um trabalho de redirecionamento dessas pulsões. Nossa energia será, passo a passo, dirigida para troféus considerados úteis. Assim, aprenderemos a perseguir o que é autorizado. E, sobretudo, a nos afastar do que colocaria em risco a ordem social.

— Mas como a sociedade logra este resultado?

Por prêmio e castigo. Aplauso e vaia. Que ensejam alegria e tristeza. Bem como, medo e esperança. A sociedade age sobre o corpo do socializando. Docilizando-o. Direcionando para o certo. Para o autorizado. Desviando-o do proibido. Por isso, quando alguém diz desejar algo, porque seu corpo clama por aquilo, é preciso que saiba que esse corpo ao qual se refere é orgânico e social ao mesmo tempo.

— O corpo é social?

Claro. Porque você incorpora a sociedade com a qual convive. Ou, se preferir, a sociedade deixa marcas em seu corpo. Uma evidência disso é a reação corporal — como o ruborecimento — consequência de uma advertência.

Um dos medos mais eficazes neste processo de socialização é o do isolamento. A sensação de estar só. Evitamos, muitas vezes sem perceber, situações em que nos encontramos isolados. As pesquisas em psicologia social denunciam copiosamente a ação do coletivo sobre o comportamento individual acionada por esse medo do isolamento. Os exemplos são inúmeros. Cito aqui o voto útil. Os indecisos tendem a votar nos candidatos melhor classificados nas pesquisas.

— Por isso as publicidades fazem ameaça velada de que muitos já consomem certo produto ou serviço e você ainda não?

Não poderia estar mais de acordo. Mas retomemos à reflexão sobre a relação entre alegria e alinhamento social. A sociedade, ao longo de toda trajetória, define valores para comportamentos, performances, projetos e metas. Assim, nossas habilidades, ou simplesmente atividades corriqueiras, podem ser consagradas e aplaudidas por todo mundo, ou podem ser tidas como bobas ou indiferentes, ou ainda podem ser consideradas intoleráveis. E, muitas vezes, a diferença objetiva entre condutas de valores sociais muito diferentes, é mínima. Linha tênue entre a consagração e a execração.

– Você pode conferir alguma concretitude a essas divagações? Você manda. Todos sabemos que a prática desportiva em alto nível é estratégia eficaz de enriquecimento e aplauso. As ações humanas valorizadas nestas práticas são definidas coletivamente. Não são necessariamente as que você gostaria.

Assim, o arremesso de dardo, nas condições olímpicas, pode levar você à glória. Mas o arremesso de um ovo, ainda que com igual precisão, levará você a um desconforto. Dependendo do alvo escolhido.

Da mesma forma, conseguir introduzir a bola num espaço circunscrito por 3 traves e uma rede, num campo gramado, pode fazer de você um herói. Com direito a remuneração cheia de zeros, hinos nacionais, recepção em carros de bombeiro e pelo Presidente da República. Igual *glamour* é reservado para a habilidade de colocar uma bolinha menor do que a primeira, num buraco de um campo, com uma tacada.

Em compensação, outra prática, muito semelhante a esta, como a de introduzir a mesma bolinha arremessando com a mão de longe na boca de alguém que boceja, poderá valer exames psiquiátricos, internação forçada e mesmo privação de liberdade. Como o arremesso de um sapato islâmico em alvo presidencial Yankee.

Galhofas de lado, o reconhecimento social, o aplauso, a consagração que tanto alegram, implicam uma adequação que não é mais cósmica. É social. É política.

Os pensadores gregos discordavam frontalmente disso. Treinavam seus alunos para suportar a chacota. A galhofa humilhante. Provocavam o encontro entristecedor visando blindar o corpo – torná-lo menos frágil – frente aos efeitos escravizantes que o olhar do outro pudesse ensejar. Expunham-se em situações vexatórias para habituar-se às reações de apequenamento. Como puxar um peixe morto na ponta de um barbante pela rua fingindo entretê--lo. Ou fazer sexo em praça pública.

O sucesso deste treinamento pode ser comprovado em alguns políticos do nosso tempo. Permanecem expostos a vexames. Usam a mídia para maior exposição. E, pouco a pouco, vão se tornando imunes à opinião pública. Blindados. Expressão deles. Mesmo quando submetidos a longas campanhas de desmoralização diária, parecem não acusar o golpe. Nem minimamente. Já não se entristecem mais. Estão vacinados.

Na Grécia, entendiam os pensadores que as opiniões e crenças sociais eram pobres, redutoras, simplistas e falsas. Mas exerciam grande constrangimento sobre indivíduos isolados. Daí a preocupação em prepará-los. Para que pudessem buscar virtude e desprendimento para além da mediocridade social. No que concerne a nossos políticos, bem, não os conheço o suficiente para julgá-los. Certamente haverá grande diversidade de formação moral.

Mas voltemos ao alinhamento com a sociedade. Demos o exemplo da consagração pelo esporte. Qualquer outra manifestação que passar pela sua cabeça, caro leitor, terá um valor definido socialmente. Mais precisamente, só por alguns, posicionados para isto. Autorizados pelos demais. Muitas vezes em complicados procedimentos de chancela progressiva. Que podem ter início na escola.

A educação escolar é direito de todos. Dever do Estado. Na escola aprendemos algumas coisas. E não outras. O currículo escolar é sempre apresentado como fundamental para a vida. Mas, poderia ser outro. Diferente. Assim, o que chamamos de história geral é sempre a de alguns povos ou países. Nunca de outros. Porque foi decidido que a França vale mais que Angola.

Cada unidade dos programas escolares é proposta por alguns. Chancelada por muitos outros. Convertida em indiscutível. Pré--requisito para outras unidades também indiscutíveis. Cobrada nos processos seletivos universitários.

> A homologia entre as estruturas do sistema de ensino (hierarquia das disciplinas, das seções etc.) e as estruturas mentais dos agentes (taxinomias professorais) está no princípio da função de *consagração da ordem social* que o sistema de ensino preenche sob a aparência da neutralidade (BOURDIEU. *As categorias do juízo professoral*).

Esses que definem esses conteúdos são agentes sociais interessados em consagrar certos saberes. Provavelmente os seus. Em detrimento de outros. Provavelmente por eles ignorados. Trata-se, portanto, de um exercício de poder. Travestido de desinteresse, abnegação e sacerdócio.

E os educandos? Bem, estes vão aprendendo o que têm que aprender. E, neste nível, é preciso saber o que todo mundo sabe. Justamente, porque todo mundo sabe. Com isso, evitamos algumas tristezas. Como a de uma discriminação negativa. A de ser tomados por ignorantes. A de nos sentir despossuídos do mínimo para a existência social; desautorizados a manifestar nossos pontos de vista. A de não dominar o necessário para frequentar espaços consagradores como os universitários, impossibilitados de dispor de um título de nobreza como o de doutor. Aqui, ainda simples graduado em Direito ou Medicina.

— Isto significa que temos que saber o que nos obrigam? Para dispor das chancelas institucionais aceitas socialmente? E se não soubermos? Já sei, seremos lembrados disto a toda hora. Tristemente.

A cada página, você ganha em lucidez.

— Mas não é só a escola que pauta nossos saberes!

Claro que não. Há outros agentes importantes, na luta pela definição do que devemos ter em mente. Do que é preciso para poder interagir. E alegrar-se com isso. Assim, alguns temas são ditos de atualidade. Sobre os quais todos falam e podemos conversar com qualquer um.

Porque não é todo assunto que permite interação. Se você recorre a um tema da sua estrita agenda privada – como a morte de um tio querido – e propõe conversa a uma pessoa que não conhece, é provável que ela não entenda, se afaste, por não ter nada a ver com isso.

Esses temas conversáveis por qualquer um constituem o que alguns sociólogos denominam agenda pública. Que é, em grande medida, definida pelos meios de comunicação. Por isso, as notícias, mas também as novelas, *reality shows* e filmes facultam a interação, reduzem a diversidade potencial de assuntos e, assim, a própria complexidade do real.

— E isso tem a ver com a vida boa?

Claro que sim. Porque todos nós temos nossas competências. Há temas sobre os quais temos o que dizer e outros nada. Assim, tornamo-nos pessoas interessantes, atraentes, aplaudidas e celebradas quando temos algo a dizer sobre os tais temas entendidos por todos como indiscutivelmente relevantes, de atualidade, de interesse público etc.

E não basta ter algo a dizer. É preciso ocupar posição social autorizada. Estar autorizado a falar. Ser porta-voz legítimo. O que implica ter alguém para ouvir. Algum reconhecimento. Que é uma forma privilegiada de capital. Caso típico dos especialistas nos vários assuntos, transformados pelos jornalistas em fontes recorrentes. Mas isto, caro leitor, é para poucos. Nem sempre acontece. E é revoltante. Pensar coisas que você julga interessantes e perceber que ninguém quer ouvir.

Acho que você entendeu. Melhor alinhar suas habilidades com as práticas sociais autorizadas, legítimas e consagradas. E seus saberes e discursos com o que a sociedade espera ouvir. Porque o aplauso alegra. Pelo menos por alguns segundos. Instantes de vida preciosos. Em que o outro o reconhece. E manifesta este reconhecimento. Materializa concordância com a sua existência. Alguém sempre dirá que o aplauso é fugaz. Dura pouco. E tem razão. Como todas as outras alegrias que teremos na vida. Que também serão fugazes e não durarão.

Mas tem também a indiferença. O desprezo. O desdém. A ironia. A deslegitimação. E essa entristece. Por alguns instantes. Que são de vida, como quaisquer outros. E as condições para este aplauso ou esta vaia, você não as define. Quando você nasceu, muitas já estavam ali.

E haverá ainda quem tenha talento para dar uma boa aula. Aplauso sem dinheiro. Porque nada é perfeito. E as coisas são o que são.

Eis a ideia central deste capítulo. Já que a sociedade triunfa sobre nossa singularidade afetiva, a vida boa pressupõe um alinhamento. Uma adequação entre nossas inclinações e o que os demais esperam de nós. Para que nos aplaudam. Ou, para que apanhemos menos. Não gostou? Muitos não se conformam. Afinal, alinhar-se com uma sociedade injusta em busca de uma vida boa parece indigno.

Para estes inconformados, esta vida boa seria bem outra. Desalinhada. Engajada. Num processo transformador. Num movimento revolucionário. Mas este é tema para outro curso. E para outro livro. Fica registrado o compromisso. Uma reflexão sobre outras sociedades possíveis.

10
Vida intensa

Intensidade. Atributo da vida boa. Tão boa que você não se dá conta de ter vivido. A relação vivida com o mundo satisfaz tanto que você não cogita outra. A consciência é plasmada pelo real. Perde a noção de si mesma.

Na intensidade, desaparecem passado e futuro. Porque a vida se reconcilia com o presente. É absorvida por ele. Por isso, quando a vida é intensa o tempo passa, e você não percebe. Pelo menos para você, é centelha de eternidade. Presente que não vira passado.

O leitor já deve ter ido ao cinema assistir a um filme excelente. A trama é tão cativante que você esquece de você. Esquece que está no cinema. Perde a noção de se tratar de um filme. Tanto que, quando o filme acaba e as luzes se acendem, você leva alguns segundos para voltar a si. Instantes de intensidade.

A plena compreensão dessa intensidade pressupõe uma crítica ao niilismo. Entendemos por niilismo aqui o contrário do entendimento trivial. O niilismo que nos interessa aqui implica a negação do mundo da vida, dos afetos, das pulsões. Em nome de outros mundos. Que seriam superiores aos nossos.

— Mas o que aconteceu com o que tínhamos aprendido antes? Afinal, se eu me harmonizar com o universo, ou souber o que Deus quer de mim viverei feliz. Só dependo disso. E aí, poderei mandar todo mundo às favas.

Sua percepção foi ótima. Houve mesmo uma mudança radical na maneira de pensar a vida boa. E é preciso esclarecê-la.

Sociedade e referências supracelestes

Quando chega a modernidade, tomamos duas rasteiras.

– Modernidade? Como assim, modernidade? Isto tem a ver com coisas modernas? Que se contrapõem às antigas?

Querido leitor, é assim mesmo que se pensa. Não podemos tomar por favas contadas essas categorias que chegam prontas, cheias de empáfia. E esse é o momento de refletir sobre a origem das categorias. Afinal, o capítulo é sobre a vida em sociedade. E a grande luta entre seus agentes é pelo direito de nomear as coisas. De classificar as ocorrências. De impor a própria visão e di-visão dos fenômenos. De dividir o mundo, em suma. Eis a grande disputa. Porque quando vencida, o resto vem junto.

O homem sempre deu nomes a diferentes épocas do passado. Assim, Antiguidade, Idade Média, Idade Moderna etc. Classificação de períodos históricos a partir de critérios que, para ele, são importantes. Lembremos de duas coisas: primeiro, o passado é só uma construção mental realizada por nós, no real, no instante. Segundo, quando o passado foi presente, foi o que foi. Trânsito de matéria determinado por relações entre corpos. Sem etapas, sem categorias, sem nomenclaturas. Inominado.

Portanto, essas categorias históricas são produção humana. Resultado da intervenção arbitrária e estratégica de certos agentes, interessados em dividir o passado de maneira conveniente. Assim, ao estudar as categorias, importa investigar, para além de seus conteúdos, quem as propõe e com quais interesses.

> *É por isso que encontramos em Nietzsche a ideia, que volta constantemente, de que o conhecimento é ao mesmo tempo o que há de mais generalizante e de mais particular. O conhecimento esquematiza, ignora as diferenças, assimila as coisas entre si, e isto sem nenhum fundamento em verdade. Devido a isso, o conhecimento é sempre um desconhecimento. Por outro lado, é sempre algo que visa, maldosa, insidiosa e agressivamente, indivíduos, coisas, situações. Só há conhecimento na medida em que, entre o homem e o que ele conhece, se estabelece, se trama algo como uma luta singular, um tetê-à-tête, um duelo (FOUCAULT. A verdade e as formas jurídicas).*

Quando aceitamos como indiscutível uma categoria de divisão da história, quanto mais óbvios parecerem seus critérios, mais hegemônica é a dominação de seus propositores. O triunfo de seus critérios. As categorias legítimas, aceitas como indiscutíveis, ensinam muito mais sobre as relações de poder entre contendores pelo direito de classificar do que sobre suas fronteiras e substâncias correspondentes.

– Mas o que é que se ganha em impor estas categorias?

Classificar períodos é apresentar-se como legítimo para falar deles. E condenar adversários à ilegitimidade. Porque categorizar é dividir competências. Garantir certa reserva de mercado. Reposicionar contendores. E assim, de Idade Média falam os medievalistas. E o mesmo se dá para o contemporâneo. Vejam os pós-modernos. Únicos autorizados a falar do pós. Condenando os outros a discorrer sobre o pré. Sobre mundos que não existem mais. Há também a hiper-modernidade... Para os que brigaram com algum pós-moderno. E consideram pós-modernidade nomenclatura indevida. Porque nomear é, de certa forma, fazer existir. E autorizar-se a discorrer sobre. Com maior ou menor legitimidade.

Feitas estas ressalvas, voltemos ao que mais nos interessa.

Eu dizia que o homem na modernidade toma duas rasteiras importantes na reflexão sobre a vida boa. Destas de perder o chão.

Certezas que se mostraram incertas. Premissas que se revelaram resvaladiças. A primeira é objeto de revolução científica. A segunda, de reforma religiosa. Você perguntou pelo que tínhamos aprendido. Pois bem. Siga-me.

Você se lembra que os gregos relacionavam a vida boa a uma adequação do vivente na engrenagem do universo. Que tudo era uma questão de ajuste. Pois bem. A partir do século XVI – e como eu sempre ficava perdido com esta história de século, informo que isso é logo após o descobrimento do Brasil – os cientistas começaram a questionar a pertinência desta reflexão.

Para que, logo em seguida, os pesos pesados Copérnico, Galileu e Newton nos ensinassem que o universo não é finito nem cósmico. Que não há ordem. Que as coisas não têm um lugar para estar. Que não há referências para lugares. Talvez, por isso, o pobre Descartes, para localizar um mísero ponto, tenha tido que propor eixos que se cruzam em perpendicular. E a localização do ponto fica condicionada por estes eixos. Com os quais temos que concordar.

E você, leitor, lê e pergunta:

– Quer dizer que não temos mais um lugar, uma atividade e uma finalidade que nos harmoniza com o universo?

Não.

– Mas, ainda assim, deve haver uma razão especial para eu estar aqui.

Claro. Você está lendo meu livro.

– Quando eu digo aqui, eu quero dizer no mundo.

Como assim, uma razão especial?

– Alguma coisa que eu deva fazer no mundo, uma missão maior, uma finalidade para a existência.

Acho que não.

– Mas, para que estou no mundo, então?

Suponho que para nada. O melhor, talvez, seja perguntar por que você está no mundo.

– Por que, então?

Ué. Você nasceu. E ainda não morreu.

– Mas por que nasci? Haverá uma razão especial para o nascimento, ao menos?

Imagino que alguns meses antes tenha havido um momento de amor. Ou, pelo menos, de intimidade.

– Mas, por que, desse encontro, nasci eu, e não um outro qualquer?

Bem, eu não sei bem o que você chama de "eu". De qualquer forma, como são poucas as linhas, digo que, antes do nascimento, matéria encontra matéria e afeta matéria como só poderia fazê-lo. A genética poderá dar maiores detalhes. Para depois do nascimento, continua valendo a mesma regra. A matéria do seu corpo vai encontrando o resto do mundo e deixando-se afetar tal como só poderia ser. Um mundo que, como estamos vendo, é social e cheio de pessoas como você. É nessas relações que o seu "eu" vai sendo constituído. Porque não nasceu pronto.

– Mas, e agora, a vida boa? Que referência ainda posso ter para viver?

Com a ecatombe cósmica, ainda sobrou Deus. Aquele mesmo, transcendente e criador do universo. Mas, seus intérpretes resolveram entrar em guerra pelo direito da exegese legítima. Também pudera. Ter a autorização social para interpretar a vontade de Deus não deve ser nada mal.

Essa luta recebeu o nome de Reforma. Travada por contendores hábeis em fundar suas interpretações em fina teologia. E assim, o que era a vontade de Deus antes, deixou de ser. E o que era pecado, também deixou de ser. Ao menos para alguns.

Max Weber, na *Ética protestante e o espírito do capitalismo*, esclarece melhor do que ninguém. A prosperidade ou enriquecimento. Ter mais dinheiro do que se precisa. Para uns, sempre foi pecado. Já para outros, não só não é pecado como é indício da alegria de Deus com você. De que Deus vai com a sua cara. E como ele já sabe quem vai salvar – dogma da predestinação – a prosperidade é um indício da salvação. E a docência, a ante sala do inferno.

Ora, se Deus continua impávido, a interpretação da sua vontade ficou dúbia. Por isso, ao invés de pautar a vida pela vontade de Deus, passamos a escolhê-la *à la carte*; ajustada às conveniências da própria trajetória.

– Deixa ver se eu entendi. Ficamos sem o universo e sem Deus. Perdemos as duas referências para a vida boa. E, mais ou menos, ao mesmo tempo.

Fantástico. Por isso eu disse que tínhamos ficado sem chão.

– E o que sobrou, então? Não sobrou nada? Estamos à deriva? O universo não passa de um magma de energias que se entredevoram? É isso? E nós? Uma centelha de energia que se desloca do nada para o nada e que, por alguma estúpida razão material, acha que tem consciência de si e do mundo?

Querido leitor. Você assimilou bem a inquietação da época. Essa sensação de falta de referência para a vida é típica deste momento. As certezas claudicaram. Mas isso não significa que passamos a viver de qualquer jeito. Você sabe disso. Na hora que o homem percebeu que o chamado mundo supraceleste não lhe daria respostas, chamou para si a responsabilidade.

> Deus está morto! Deus continua morto! E quem o matou fomos nós! Como haveremos de nos consolar, nós os algozes dos algozes? O que o mundo possuiu, até agora, de mais sagrado e mais poderoso sucumbiu exangue aos golpes das nossas lâminas. Quem nos purificará

desse sangue? Qual a água que nos lavará? Que rituais expiatórios, que jogos sagrados teremos de inventar? A grandiosidade deste ato não será demasiada para nós? Não teremos de nos tornar nós próprios deuses, para parecermos apenas dignos dele? Nunca existiu ato mais grandioso, e, quem quer que nasça depois de nós, passará a fazer parte, mercê deste ato, de uma história mais elevada a toda a história até então! (NIETZSCHE. *A gaia ciência*).

Decidiremos nós, o certo e o errado, o justo e o injusto, os limites da ação, até onde posso ir e até onde pode ir você. A referência deixa de ser cósmica, deixa de ser divina e se torna contratual. O que foi decidido torna-se certo por ter sido decidido. De certo jeito, respeitados alguns procedimentos, certos protocolos, tomados por racionais.

– Quer dizer que agora é "nóis"?

Não nos sobrou outra alternativa.

– Mas, e se a deliberação não for certa?

Não faz sentido agora. Para que isso pudesse acontecer, seria necessário que houvesse um gabarito pairando sobre nossas cabeças indicando o verdadeiro certo, em relação ao qual checaríamos o acerto de nossa deliberação. Como aparentemente não há esse gabarito, o que decidimos passa a ser certo e pronto. Assim, os tais direitos humanos foram decididos por nós.

Só que o homem conserva a estrutura religiosa. Por quê? Porque depois de chamar para si a responsabilidade de definir o certo e o errado, cria, ele mesmo, novas transcendências. Propostas de idealidades terrestres, por assim dizer.

Assim, os direitos humanos, o liberalismo, o comunismo, o anarquismo e todas as sociedades ideais que o homem acabou inventando para substituir os mundos supracelestes. De todas estas formulações de idealidades existenciais, a mais contemporânea é, sem dúvida, o paradigma da qualidade de vida.

Intensidade e qualidade de vida

A expressão qualidade de vida está por toda parte. Aparentemente, atende a múltiplos interesses. É quase sempre apresentada como a premissa de uma afirmação qualquer. Indiscutível. O que está para ser discutido é o resto. Como afirmar que esta ou aquela empresa é muito preocupada com a qualidade de vida dos seus funcionários. Assim, a referência da qualidade de vida como indício de vida boa é da esfera da obviedade. Como toda ideologia bem-sucedida no mercado ideológico. Converte-se em evidência.

Querido leitor. Observemos juntos a expressão. Você aceita falar que um sorvete é bom ou sorvete de qualidade, aula boa ou aula de qualidade, filme bom ou filme de qualidade, carro bom ou carro de qualidade, e assim por diante. Por que, então, você não diz vida boa, ou vida de qualidade.

– Ah, mas vida de qualidade ou qualidade de vida é a mesma coisa. Você é que implica sempre. Deixe de ser chato.

Fico feliz que tenhamos nos tornado amigos. Ganhamos em intimidade. E perdemos um pouquinho em polidez. Mas é assim mesmo. Voltando ao que estava dizendo, não acho que seja a mesma coisa não. Ou será que dá no mesmo dizer bolo de chocolate ou chocolate de bolo?

– Diga logo, então, o que há de tão tenebroso por trás desta inversão macabra? Malvados detentores da ideologia dominante querem nos engambelar. Mas nós resistiremos, nós dois, professor e eu. Comecemos por desconstruir esta farsa.

Você ficou irônico de uma hora para a outra. Fico feliz que tenha conservado o bom humor depois de todas estas páginas de reflexão sobre o senso comum.

Quando dizemos vida de qualidade, entendemos, desde os gregos, que cada um vai buscar a sua. Seja porque se ajusta no universo de uma forma singular, seja porque Deus tem uma missão, também singular, para cada um, seja porque nos pactos modernos, ainda que tenhamos direitos iguais, não temos todos que viver da mesma maneira. Muito pelo contrário. Na divisão social do trabalho, cada vez mais sofisticada, a especialização implica diversidade, complementaridade etc. Assim, vida de qualidade depende 100% de quem a vive.

Mas quando falamos em qualidade de vida, a substância vira atributo. Desloca-se o eixo da preocupação. Agora, temos que aceitar que certas vidas são boas e outras ruins. Independentemente do vivente. De quem vive.

— E o que se quer dizer com certas vidas são boas?

No fundo, parte-se da premissa de que certas situações existenciais são boas, melhores do que outras, isto, para qualquer um. A qualidade de vida é um padrão de excelência vital. Um protocolo existencial. Desta forma, seja você leitor quem for, as condições de uma vida boa serão as mesmas. A rigor, a qualidade de vida e a autoajuda partem da mesma premissa.

— O que você quer dizer é que, quando se fala em qualidade de vida, é porque certas condições materiais garantem vida boa para qualquer um?

Exatamente. Não tenho tempo de analisar todos os critérios. Mas alguns exemplos esclarecem. Como a redução da jornada de trabalho. Todos os protocolos de qualidade de vida a relacionam com menos trabalho. Os argumentos são sempre os mesmos. Enquanto não estamos trabalhando temos mais tempo para nós, para fazer o que gostamos. Na mesma linha, o famoso *happy hour* costuma ser na sexta-feira, justamente quando saímos do trabalho. Fora dele. Hora feliz fora do trabalho.

Ora, querido leitor. Tudo que acabo de dizer se funda numa concepção utilitarista do trabalho. Útil para alguém. Para alguma coisa. Mas considero toda essa argumentação triste e entristece-dora. Imaginar que tenhamos que esperar até sexta-feira às 18h para passarmos uma hora feliz é ter da vida – em particular da vida profissional – uma concepção bastante triste.

Porque sou professor. De sala de aula. Há 23 anos. E neste momento, com os alunos diante de mim, vivo intensamente. Seja na universidade, seja em casas do saber, seja em cursos ou palestras nas empresas, meus alunos atestarão. A vida boa é ali. E *happy hour* será às 7:30 de segunda-feira. Por isso, reduzir a jornada de trabalho em nome de uma suposta qualidade de vida é amputar a alegria do professor, submetê-la a um protocolo que lhe é imposto goela abaixo.

Quando a qualidade de vida é desmentida pela vida de qualidade. Pela alegria de cada um. Porque todos que afirmam falar em nome de todos são candidatos a tirano. Em luta por travestir a própria alegria em alegria do mundo. A própria libido em energia universal. O próprio desejo em vontade geral.

Há os que quantificam a qualidade de vida de uma cidade pelo número de quilos de carne ingeridos em média anual. Recuso-me a comentar. Seja você quem for, tenho certeza de que já se deu conta de que seus problemas existenciais vão um pouco além desta ingestão. Tristes vegetarianos. Sempre desconfiei. E os carnívoros, felizes por comer carne. Em altas médias ponderadas. Mas mesmo para estes, nem tudo está assegurado. Porque nada impede que flagrem o grande amor de suas vidas em ósculo bucal adulterino com outro indivíduo em pleno churrasco. Degustando maminha.

– Eu concordo com esses exemplos. De fato, tem gente que gosta de trabalhar. Juro que me causa inveja. Devo admitir que para mim, *happy hour* é mesmo na sexta. E já no domingo a noite, começo a deprimir. Agradeço por esta reflexão. Talvez precise repensar minha vida profissional. Por outro lado, muitos também relacionam a qualidade de vida à proximidade com a natureza.

Neste caso, eu acho que não tem dúvida. Não pode haver nada melhor do que um bom banho de mar numa praia deserta depois de uma trilha ecológica na Jureia. Disso, ninguém em sã consciência discordará.

E eu que já o elogiei tanto. Você, leitor, fazendo das próprias delícias uma regra universal. Kantiano de carteirinha. Não concordo com nada que você propõe. E para elucidar minha discordância, nada melhor que um relato.

Tenho uma oftalmologista. De confiança. Mulher amável. Tornamo-nos amigos. Por ocasião de uma consulta, perguntou-me o que fazia. Sou professor, confessei. Do que, perguntou ela, fingindo interesse. Ética. Balbuciei, enfadado com a obviedade da pergunta.

— Mas o que você ensina num curso de ética?

Simplificando muito, apresento os principais argumentos — propostos ao longo da história do pensamento — sobre como devemos agir para que a convivência seja a melhor possível, e também os fundamentos apresentados para esses argumentos.

— Quer dizer que você não parte de uma concepção do certo e do errado?

Nem parto e nem chego a nenhuma. Pelo contrário. O curso permite a reflexão sobre por que o homem sempre encontrou uma dificuldade insuperável para identificar ou definir ele mesmo o que é uma conduta correta, justa, honesta e assim por diante. Assim, discutimos muito mais as fragilidades de cada argumento do que sua suposta verdade dogmática.

Ela deve ter achado interessante. Disse que viria assistir a uma aula. Supus tratar-se de pura amabilidade. Não era. Veio, de fato. Como são muitos os ouvintes na classe — das mais diferentes aparências — não destoou. Depois da primeira aula, veio a todas as outras. Acompanhada da irmã. Ambas faziam perguntas, discutiam as respostas, cobravam textos de leitura e os liam.

Ao cabo de um ano de convivência na universidade, ponderou – durante um café – que meu trabalho era notável. Que tornava o pensamento de filósofos acessível a não especialistas como ela. Mas que, apesar disso, ela se preocupava comigo. Pelo que tinha observado, eu só trabalhava. E, então, sentenciou convicta, que eu tinha que me preocupar mais com a qualidade de vida.

Observe, caro leitor. Não passou pela cabeça ilustrada da cientista dos olhos que a qualidade a que ela se referia pudesse estar ali mesmo, na sala de aula, no meio dos alunos, na descoberta dos clássicos, na discussão intramuros sobre as possibilidades de interpretação do texto de algum autor. Indaguei, então, o que ela sugeria.

Prontamente convidou-me para passar feriado prolongado em um sítio ecológico conhecido. Numa destas serras da moda. Aceitei. Sempre intrigado com a prometida qualidade de vida, eldorado ao alcance de qualquer um. Antes que devaneiem no equívoco, informo que a doutora veio me apanhar na faculdade – para que saíssemos direto rumo à felicidade – acompanhada de seu marido e de minha esposa. Entrei no carro. Destes de gente bem-sucedida. Que fica longe do chão.

– Durma, disse ela. Que eu o acordo quando chegarmos. E assim se fez.

Na verdade, fui despertado por um jovem – guia ecológico – com pouco traje, que nos recebeu com entusiasmo. Quando me viu – em roupa de docente universitário paulistano – gritou, para vencer a janela do carro, em tom de advertência:

– Aqui, tudo é rústico.

Olhei para minha esposa e perguntei-lhe se tínhamos morrido. Porque a imagem que faço do inferno é um pouco esta. Um lugar quente e rústico. Ela lembrou-me do que tinha prometido.

– Diga só o trivial. O imediatamente compreensível. Por qualquer um.

Calei-me. Fomos para a pousada. Entendi que rústico quer dizer ruim, em russo. Garanto-lhe, caro leitor. Não se tratava de frescura. Afinal, dos anos que passei em doutoramento na França, dormi mais noites no chão do que em cama. Não sou propriamente fresco. Mas sei o que é ruim. Talvez por ter, também, uma vaga ideia do que seja bom.

Por exemplo, na hora de abrir a torneira, precisava segurar o cano da água, para que não girasse no mesmo sentido. Isto não é rústico. É ruim. Da mesma forma, na hora de sentar no trono sanitário, a tampa mal presa conduzia a um desequilíbrio do corpo sobre o vaso, que só podia ser corrigido com outro, em sentido contrário. Deslocamento do peso do corpo para uma só das nádegas. E um consequente defecar oblíquo. Isto também não é rústico. Porque poderia ser mais confortável. Mesmo sem luxo.

Deitei-me na cama. Rústica. À espera de minha esposa. Para pelo menos mais 10 horas de sono, intercalados − de 2 em 2 horas − de um rápido chamego. E um gole de Coca®. Chamego − minha esposa é maranhense − é uma atividade afetiva sem grande investimento procedimental e energético. Um carinho íntimo sem preocupações de meta, *target* etc.

Foi quando o guia, perfilado na porta do quarto, perguntou o que eu pensava que estava fazendo. Respondi que nem tudo que fazia decorria de uma deliberação pensada. Minha esposa me advertiu com um olhar.

− Qualidade de vida é caminhar, sentenciou o profeta das matas.

Proibido de argumentar, levantei-me e me apresentei batendo continência.

− Mas você vai assim? Indagou fitando-me de alto a baixo. Entendi que a indumentária era inadequada. Que a tal qualidade de vida, como toda ideologia totalitária, tinha um olhar uniforme sobre como deveria ser o mundo. Coerente com uma farda, um uniforme.

Perguntei a minha esposa se ela tinha adquirido o uniforme da qualidade de vida. Ela fez sinal ao nosso tutor para que nos deixasse um minuto. Para que pudesse me alinhar.

Saímos, finalmente. Logo percebi que qualidade de vida não era caminhar. Mas caminhar muito. Sob um sol intenso. Depois de umas 3 horas de caminhada, um colega expedicionário nipônico comentou que o dia estava esplêndido. Pude notar algo estranho na sua mirada. Já um pouco estática. Que vasava os alvos mais próximos. Olhar perdido. Era o calor. Que coseu seus miolos.

Chegamos a um riacho. Mais mussoliniano que nunca, o guia determinou que entrássemos de uma vez. Garantiu que a água estava refrescante. Decidi ficar de fora. Mas essa decisão individual contrastava com o que estava previsto para o coletivo. Todos começaram a jogar água em mim. Gritando para que entrasse. Não tive outro remédio.

Foi quando constatei o que já temia: refrescante quer dizer glacial. Todas as partes submersas de meu corpo reduziram seu tamanho em dois terços. Adotei estratégia de aquecimento da água circunvizinha, fazendo xixi. Fui advertido. Abortei no meio. Porque a natureza do meu xixi é menos natural que a do riacho. Também, com a quantidade de refrigerante que tomo, não era para menos, pensei comigo sem ousar qualquer comentário.

— Agora vamos nadando na contra mão da correnteza até a cachoeira.

Perguntei se era necessário irmos até a cachoeira. Ele assegurou que sim. Argumentou que o nome do passeio era "da cachoeira". E tive que me resignar.

Ao chegar à cachoeira, minha tristeza era transparente. Perguntou-me, então, o Stalin do cipó, se eu não estava curtindo. Respondi que estava me adaptando.

— Estando na Av. Paulista, o que você faz se sentir vontade de tomar um banho de cachoeira? Votou a carga, o insistente líder.

Respondi que há 40 anos passeio pela referida avenida e nunca tinha me ocorrido tomar um banho de cachoeira. Que tinha sido minha primeira vez. E que agora mesmo que nunca me ocorreria semelhante ideia.

Expliquei que somos corpos singulares. Que o mundo que o alegra não me alegra necessariamente. Que a alegria implica composição entre corpos. Que o mundo que me alegra é a Av. Paulista sem cachoeira, evidentemente. Mas que não tinha nenhuma pretensão de fazer disso um gabarito. Uma norma universal. Porque não tinha vocação para tirano. E que ele, guia tirânico, insistia em fazer da vida no mato um eldorado para qualquer um. Fazendo dos corpos discordantes um monstro. Desrespeitando a singularidade dos mesmos.

Intensidade e ineditismo

Já aprendemos, à exaustão, que não há um gabarito para a vida que seja aplicável a qualquer um. Porque o mundo que alegra gregos, não alegra troianos. O gol que alegra tricolores entristece alvinegros. E a tinta verde que encantou o comprador, a vendedora se recusa a vender. De tão deselegante que é. Afinal, somos corpos singulares em relação a qualquer outro corpo no mundo.

Mas ainda nos falta considerar uma segunda singularidade. Face a nós mesmos. Assim, se não há gabarito para todos, também não há uma solução existencial para nós, válida para toda nossa trajetória. Porque o que nos alegra hoje, pode não nos alegrar amanhã. E a vida boa deste instante, poderá converter-se em puro tédio logo em seguida. Porque sempre seremos outro em relação ao que já fomos.

Você viaja de carro. Fica com fome. Procura um lugar para fazer uma boquinha. O primeiro que aparece é uma casa que vende produtos de milho. Você para. Seco por uma pamonha. O encontro começa pelo cheiro. Encontro olfativo. A pamonha começa a agir sobre você. Produzir efeitos. Afetar. E você saliva só de sentir aquele aroma.

Aí você se depara visualmente com aquela bacia cheia de pamonhas. Amarelinhas. Empilhadas com zelo. Você segura uma delas, que te chamou atenção. Está quente. Você desembrulha aquela capa de milho e dá uma dentada. O encontro da pamonha com seu corpo é tudo de bom. Profundamente alegrador. A pamonha alavanca a sua potência. E porque ela alegra, você diz que ela está uma delícia.

Feita esta constatação, você comete um erro comum. Esperado. Mas lesivo. O de fazer da pamonha um ídolo. Um gabarito da vida boa. Uma qualidade de vida. Uma solução certeira para a alegria. À qual você deve fidelidade. E aí, movido pela esperança de resgatar a alegria já vivida, você resolve patrocinar um repeteco do primeiro encontro. E vai pegar a segunda pamonha.

Esta alegra também, mas menos. Gozado, você pensa, esta já não está tão boa. Você culpa o pamonheiro. A espiga. O milho. Sem se dar conta que tudo neste segundo encontro é inédito. Inclusive você, comedor já saciado de pamonhas. Mas você é fiel. Fiel àquela que tanto te alegrou. E manda ver a terceira. E a alegria vai diminuindo pamonha a pamonha.

Na décima, você capitula. Admite o erro. Identifica a fronteira espinosana entre a alegria e a tristeza. A partir da décima pamonha, ela começa a agredir seriamente seu corpo. A desorganizar as relações vitais. E a vigésima pamonha determina a última tristeza. O fim da potência. E, portanto, da vida.

Fica claro que a pamonha pode alegrar imensamente e matar. Será, então, maravilhosa ou homicida? Nela mesma, é só milho e açúcar. Seu valor dependerá do encontro. Do afeto. Da alegria ou tristeza que ensejar. Sempre inédita, irrepetível, virginal.

O que acabamos de dizer sobre a pamonha vale para tudo. Para o matrimônio, por exemplo. A lua de mel costuma corresponder à primeira pamonha. Com cinco anos de convivência, você começa a querer comer um curauzinho. E depois de mais um tempo, nem o curau você quer comer. Mas nem sempre é assim. Porque no ineditismo de cada encontro entre os cônjuges, renovados maridos e esposas podem continuar alegrando-se indefinidamente.

Querido leitor. Como poderíamos teorizar sobre a intensidade. Mas não é nosso interesse. Porque você entendeu o essencial. A reconciliação com o real e com o presente em que o real se encontra. Uma centelha de vida imprevisível. Que escapa a qualquer fórmula. Quer coletiva, quer individual. Uma vida que vale por si mesma.

> Pois somente nos mistérios dionisíacos, na psicologia do estado dionisíaco, expressa-se o fato *fundamental* do instinto helênico – sua "vontade de vida". Que garantia o heleno para si com esses mistérios? A vida *eterna*, o eterno retorno da vida; o futuro, prometido e consagrado no passado [antes das repressões religiosas]; o triunfante Sim à vida, acima da morte e da mudança; a *verdadeira* vida (NIETZSCHE. *Crepúsculo dos ídolos*).

Mas num universo que é um magma de energias que se entredevoram. Sem lógicas, sem verdades. Nesta centelha de vida intensa gostaríamos que tudo ficasse como está. Que nada mudasse. Centelha de eternidade no mundo da vida. Poético, certamente. Mas também lição de vida. Vida que vale seguramente a pena viver.

Considerações de prosseguimento

Nem conclusão, nem finalização. Porque não concluímos nada e não finalizamos coisa alguma. Afinal, você, leitor resistente e fiel, vai falar do livro. Comentar alguma coisa. E os discursos seguem seu fluxo. E mesmo que não fale nada com ninguém, pensará a respeito. E o livro continua vivo, graças a você. Residindo em sua interioridade. Por isso, prosseguimento.

Não pretendemos aqui repetir ou resumir o que já foi dito. Estamos cansados demais para isso.

Apresento apenas uma reflexão pessoal. Diante do mundo que encontramos, duas são as posturas mais recorrentes. De um lado, a reconciliação com o mundo. Um ajuste ao real. Que é o que é. Tendemos a isso quando estamos bem. Alguns contemplando a fauna no Pantanal. Outros, no pregão da bolsa. De outro lado, a saída é mudar o mundo. Transformá-lo. Revolucionar. Para quando o mundo não agrada.

De qualquer forma, você continuará assim. Vivendo como dá. E enquanto der. Procurando esticar o encontro que alegra e abreviar o que entristece. E a vida que vale a pena? Só pode ser uma. A sua. Esta mesma que você está vivendo desde que nasceu. Mas com tudo. Seus encontros, certamente. Mas também seus sonhos, suas ilusões, seus medos e esperanças e, por que não, suas filosofias também.

Referências

AGOSTINHO. *Diálogo sobre a felicidade*. Lisboa: Ed. 70, 1988 [Trad. de Mário A.S. de Carvalho].

ARISTÓTELES. *Ética a Nicômacos*. Brasília: UnB, 2001 [Trad. de Mário G. Cury].

_____. *Física* – Livro II. Campinas: IFCH/Unicamp, 1999 [Trad. de Lucas Angioni].

_____. *A política*. São Paulo: Martins Fontes, 1998 [Trad. de Roberto Ferreira].

BAKHTIN, M. *Marxismo e filosofia da linguagem*. São Paulo: Hucitec, 2006.

BENTHAM, J. *An Introduction to the Principles of Morals and Legislation*. Londres: Batoche, 2000.

Bíblia Sagrada – Almeida. Barueri: Sociedade Bíblica do Brasil, 2003 [Revista e corrigida].

BOURDIEU, P. & SAINT-MARTIN, M. As categorias do juízo professoral. In: CATANI, M. (org.). *Escritos de Educação*. Petrópolis: Vozes, 2003.

Confissão de Fé de Westminster [Disponível no portal da Igreja Presbiteriana do Brasil: http://www.executivaipb.com.br/Documentos/confiss%E3o%20de%20f%E9.pdf – Acesso em 04/01/10].

DURKHEIM, É. *Le suicide*. Paris: PUF, 1986.

ÉPICURE. *Lettre à Ménécée*. Paris: Hatier, 2007 [Trad. de Pierre Pénisson].

FOUCAULT, M. *A verdade e as formas jurídicas*. Rio de Janeiro: Nau, 2003 [Trad. de Roberto Cabral et al.].

HOBBES, T. *Do cidadão*. São Paulo: Martins Fontes, 2002 [Trad. de Renato Janine Ribeiro].

HOMERO. *Odisseia*. São Paulo: Ars Poética/Edusp, 2000 [Trad. de Manuel Mendes].

KANT, I. *Fondements de La métaphysique des Moeurs*. Paris: Delagrave, 1976 [Trad. de Victor Delbos].

NIETZSCHE, F. *Crepúsculo dos ídolos*. São Paulo: Companhia das Letras, 2006 [Trad. de Paulo C. Souza].

_____. *Le gai savoir*. Paris: GF Flammarion, 2000.

PLATÃO. *Mênon*. Rio de Janeiro/São Paulo: PUC-Rio/Loyola, 2001 [Trad. de Maura Iglesias].

_____. *Lísis*. Brasília: UnB, 1995 [Trad. de Francisco de Oliveira].

PLATON. *Le banquet*. Paris: GF Flammarion, 2007.

_____. *La république*. Paris: Gallimard, 1993.

SÊNECA. "Carta XCII a Lucílio". In: SÊNECA. *As relações humanas*. São Paulo: Landy, 2002.

_____. *Sobre a providência divina*. São Paulo: Nova Alexandria, 2000 [Trad. de Ricardo da Cunha Lima].

_____. *De la cólera* [*Da Ira*]. Madri: Alianza, 1986 [Trad. de Enrique O. Sobrino].

_____. "De la vida bienaventurada". *Tratados filosóficos*. Buenos Aires: El Ateneo, 1952.

SPINOZA, B. *Ética*. Belo Horizonte: Autêntica, 2007 [Trad. de Tomaz Tadeu].

STUART MILL, J. *Utilitarismo*. São Paulo: Martins Fontes, 2000.

WEBER, M. *A ética protestante e o "espírito" do capitalismo* [Trad. de Max Weber. São Paulo: Companhia das Letras, 2004].

Conecte-se conosco:

 facebook.com/editoravozes

 @editoravozes

 @editora_vozes

 youtube.com/editoravozes

 +55 24 2233-9033

www.vozes.com.br

Conheça nossas lojas:
www.livrariavozes.com.br

Belo Horizonte – Brasília – Campinas – Cuiabá – Curitiba
Fortaleza – Juiz de Fora – Petrópolis – Recife – São Paulo

EDITORA VOZES LTDA.
Rua Frei Luís, 100 – Centro – Cep 25689-900 – Petrópolis, RJ
Tel.: (24) 2233-9000 – E-mail: vendas@vozes.com.br